dtv

Reihe Hanser

Um Geld für ihr Studium zu verdienen, nimmt Rachel den Job als Pflegerin der gehirngeschädigten Grace an. Dass ihr ehemaliger Arbeitgeber Mr Preston großen persönlichen Anteil an Graces Zustand nimmt, findet Rachel ziemlich verwirrend. Bis sie in einem Schuhkarton Briefe aus der Zeit vor Graces Unfall findet. Stück für Stück enträtselt sie deren Vergangenheit. Und immer mehr wird für Rachel die »behinderte Frau« zu der selbstbewussten, attraktiven und erfolgreichen Geschäftsfrau, die Grace einmal war.

Nebenbei schlägt Rachel sich noch mit den raffgierigen Schwestern von Grace herum, und mit den Nachbarn, die nach dem Leben von Katze Prickles trachten. Da ist es beruhigend, dass Rachel so eine tolle Mutter hat, auch wenn die Tochter glaubt, alles im Griff zu haben. Na gut, *fast* alles, denn da gibt es noch einen Kommilitonen, der sich durch Rachels spröde Art überhaupt nicht irritieren lässt …

Alyssa Brugman, 1974 geboren, lebt als freie Schriftstellerin in Sydney. Sie gilt als eine der neuen jungen Stimmen der australischen Literaturszene. Ihr erstes Buch ›Ich weiß alles!‹ wurde von der Presse begeistert aufgenommen.

Alyssa Brugman

Ich weiß alles!

Roman

Aus dem australischen Englisch von
Ulli und Herbert Günther

Deutscher Taschenbuch Verlag

Deutsche Erstausgabe
In neuer Rechtschreibung
Januar 2006
Deutscher Taschenbuch Verlag GmbH & Co. KG,
München
www.dtv.de
© 2001 Alyssa Brugman
Titel der Originalausgabe: ›Finding Grace‹
(Allen & Unwin, Sydney/Australien)
© 2006 der deutschsprachigen Ausgabe:
Carl Hanser Verlag München Wien
Umschlaggestaltung und Fotografie:
Peter-Andres Hassiepen, München (mit Dank an Milena)
Gesetzt aus der Sabon 11/13,25ˈ
Satz: Greiner und Reichel, Köln
Druck und Bindung: Druckerei C. H. Beck, Nördlingen
Gedruckt auf säurefreiem, chlorfrei gebleichtem Papier
Printed in Germany · ISBN 3-423-62251-2

Vielen Dank meiner Mutter Lynette, die mir nicht einfach nur Glück wünscht, sondern die mich immer ermutigt, mein Bestes zu geben. Dank auch an Nicole, Robyn, Dirk, Peter und Therese, denen »mein Bestes« gefallen hat. Das gibt mir die Hoffnung, dass es vielleicht auch anderen gefällt.

1

Grace hatte einen Hirnschaden. So war das nun mal.

Stundenlang saß sie in ihrem ledernen Ohrensessel und starrte aus dem Fenster. Ich hatte keine Ahnung, was in ihrem Kopf vorging, und ich dachte auch nicht weiter darüber nach.

Ich war achtzehn und wusste alles. Na gut, nicht *alles*, aber über viele Dinge wusste ich eine ganz Menge. Zum Beispiel wusste ich, dass die Zeit die meisten Wunden heilt und dass man sich an die, die sie nicht heilt, schlicht und einfach gewöhnt.

So dachte ich, bevor ich Grace und Mr Alistair Preston begegnete.

Während meiner Abschlussfeier an der High School saß ich oben auf der Bühne. Der Direktor stand am Rednerpult und sprach in salbungsvollen Worten zu meinen verkaterten, übermüdeten und ergriffenen Klassenkameraden und zu ihren Eltern, deren Gesichter mehr oder weniger deutlich ausdrückten: Gott sei Dank, die Schule ist vorbei. Die meisten Mädchen waren den Tränen nahe. Die Nacht zuvor hatte es anstrengende Feste gegeben.

Ich betrachtete meine Mitschülerinnen und Mitschüler und machte mir so meine Gedanken über ihr künftiges Schicksal. (Ich war nämlich achtzehn und wusste alles, na gut, nicht *alles*, aber ich wusste zum Beispiel, dass auf dem Schulhof alle Vögel miteinander auskommen müssen, egal, von welcher Art sie sind. Der Schulhof ist ein einziges großes Vogelhaus, und wenn man ein kleiner Sperling ist, macht man sich am besten so unscheinbar wie möglich.)

Ich war froh, die Schule zu verlassen. Unsere Schule war so ziemlich die am gründlichsten zubetonierte Anlage, die man sich vorstellen kann. Der Schulhof war betoniert. Der Mensabereich war betoniert. Die Bushaltestelle war betoniert.

Was hatten sich die im Bildungsministerium dabei gedacht? »Hey, seht euch dieses Design an! Es ist unkompliziert, es ist ohne Schnickschnack, es ist pflegeleicht. Es drückt aus: ein Ort, an dem gelernt wird. Jawohl, so bauen wir das!« Oder gab es da vielleicht einen bösartigeren Hintergedanken? Vielleicht war diese Betonschule ein Experiment: elementare Gewalt als eine Form von Disziplin?

In meiner erschöpften, rührseligen Verfassung betrachtete ich also meine Ex-Klassenkameraden und dachte, dass ich von allen am schlechtesten dran war. Weil aus ihren Augen wenigstens keine so superhellen Scheinwerfer blitzten wie bei mir. Wie kann man auffälliger sein?

Ich warf einen Blick auf Mr Preston, der neben mir saß. Als angesehener Ehemaliger gehört er zu den »Stützen der Schulgemeinschaft«. Er ist einer dieser wunderbaren Zeitgenossen, die der Gemeinschaft etwas zurückgeben.

Er hatte einen Notizblock auf dem Schoß, strich sich über das Kinn, lauschte mit Interesse der Rede des Direktors und machte sich dabei Notizen. Weil er nach unten schaute (in Gedanken vertieft, seufzend), beugte ich mich zu ihm hinüber und warf einen ausgiebigen Blick auf seine Notizen. Mr Preston war untersetzt, hatte breite Schultern und einen kleinen Bauch – »eine Veranda über seinem Spielzeugladen«, hätte meine Oma gesagt. Meine Oma stammte aus dem Zweig der Familie, der im Wohnwagen zu Hause war, und sie hatte eine ganze Menge Umschreibungen für die menschlichen Fortpflanzungsorgane auf Lager, die sie bedenkenlos in jedes Gespräch einflocht.

Mr Preston hatte eine Respekt einflößende Ausstrahlung. Auf mich machte er den Eindruck eines äußerst sachlichen Typs. Ich konnte ihn mir als Geheimagent vorstellen, der unter seinem Taucheranzug einen Smoking trug. Eine Übertreibung natürlich, aber ich konnte es mir vorstellen.

Ich las seine Notizen.

Meine Damen und Herren, zuerst möchte ich mich bei Ihnen bedanken für die Gelegenheit, dass ich heute hier zu Ihnen sprechen darf, bla, bla, bla …

Lernen nach Plan … weiß ich, wie viel Hingabe und Engagement erforderlich waren, bla, bla, bla …

Seien Sie mutig, geben Sie sich nicht zufrieden mit Mittelmäßigkeit, amüsieren Sie sich …

Ich traute meinen Augen nicht! Der Mann schrieb seine Rede nieder! Hier auf der Bühne, wenige Sekunden, bevor er sie halten sollte! Und nicht nur das, er hatte tatsächlich »bla, bla, bla …« geschrieben, als wollte er die Lücken ausfüllen, wie es ihm beim Reden in den Sinn kommen würde. Hier oben! Vor fünfhundert Leuten!

Im Stillen gerate ich für ihn in Panik. Ich denke, das schafft der nie. Schon werde ich für ihn verlegen. Ich winde mich auf meinem Stuhl, ich werde rot.

Das ist eins meiner Probleme. Ich werde beim geringsten Anlass rot. Ich habe durchsichtige Haut. Ich bin so was von weiß, ich bin der weißeste Mensch, den man sich vorstellen kann. Meine Haut ist mein größter Feind. Sie verrät jedes meiner Gefühle. Bin ich glücklich, werde ich rot. Bin ich traurig, werde ich rot. Ich werde rot, ich werde knallrot.

Das Dumme ist, ich brauche nicht einmal ein Gefühl zu haben. Ich muss gar nicht verlegen sein oder nervös oder sonst wie. Ich kann aus heiterem Himmel rot werden. Es ist, als wäre ich mein Leben lang in den Wechseljahren.

Aber ich habe eine Reihe von Ablenkungsmanövern entwickelt. Wenn ich spüre, dass ich gleich rot werde, sage ich mir zum Beispiel: »Mein Gott, ich werde rot! Nein, Rachel, nicht rot werden, nicht rot werden, gleich ist es zu spät«, und dann drehe ich mich um und laufe weg. Egal, ob ich gerade mitten in einem Satz bin, ich laufe einfach aus dem Zimmer. Dann, wenn die Röte nachgelassen hat, komme ich wieder rein, als wäre nichts gewesen.

Oder meine zweite Maßnahme (und die findet ihr vielleicht etwas kindisch): Wenn ich spüre, dass ich rot werde, schaue ich hierhin und dorthin, schaue auf alles Mögliche, nur nicht auf die Person, mit der ich gerade rede. Ich schaue dem anderen über die Schulter, oder ich tue so, als interessiere ich mich lebhaft für das, was gerade hinter mir ist. Meine Berechnung dabei ist, dass der andere angestrengt versuchen wird, herauszufinden, was ich da eigentlich sehe, und deshalb gar nicht mitkriegen wird, dass sein Gesprächspartner wie von Zauberhand durch eine gigantische Tomate ersetzt worden ist. Vielleicht denke ich, dass, wenn ich den anderen nicht ansehe, er mich auch nicht ansieht.

Ich sagte ja, es ist kindisch.

Das Resultat dieses Verhaltens ist, glaube ich, dass man mir eine spröde Art nachsagt. Spröde, das ist weder etwas Herausragendes noch etwas Attraktives. Oder habt ihr je gehört, dass ein Junge sagt: »Dieses Mädchen kann ich echt gut leiden, sie ist so spröde«?

Na gut, ich sitze also auf der Bühne, zapple auf meinem Stuhl hin und her, leuchte wie eine prächtige Fuchsie – und nirgendwo eine Fluchtmöglichkeit. Ich lasse mir das Haar ins Gesicht hängen und betrachte eingehend meine Fingernägel. Mr Preston dreht sich zu mir um. Er legt die Stirn in tiefe Falten, aber vielleicht ist das auch sein ganz normaler Gesichtsausdruck. Alte Leute neigen ja dazu, dass sie ihren normalen Gesichtsausdruck dauerhaft in Falten festlegen. Er hat also diesen strengen Blick drauf und sagt: »Ameisen in der Hose?«

Diesen Ausdruck habe ich seit meinem fünften Lebensjahr nicht mehr gehört. Sachlicher Typ, also wirklich!

»Ist das Ihre Rede?«, sage ich flüsternd. Er nickt und klatscht dem Direktor Beifall.

Ich habe auf das Lernen meiner Rede mehr Zeit verwendet als auf meine drei Jahresarbeiten Englisch. Gerade will ich ihm das sagen, da wird er vom Direktor angekündigt, und er steht auf. Während mich halb der Schlag trifft für ihn, lächelt er mir noch zu und sagt: »Pipileicht.«

Wie bitte? Hat er *pipileicht* gesagt? Babysprache zweimal hintereinander! Die Respekt einflößende Ausstrahlung verpufft.

»Meine Damen und Herren, zuerst möchte ich mich bei Ihnen bedanken für die Gelegenheit, dass ich heute hier zu Ihnen sprechen darf. Ich fühle mich sehr geehrt.« Er legt die Hand ans Herz.

»Zum Zweiten, als ein Förderer Ihrer Schule weiß ich, wie viel Hingabe und Engagement erforderlich waren, um sich ganz auf das Lernen einzulassen. Ihnen allen meinen herzlichen Glückwunsch!«, sagt er und schaut auf die Gesichter in der Menge. »Welch eine bewundernswerte Leistung.« Er tritt vom Mikrofon zurück und klatscht. »Bitte, meine Damen und Herren, schenken Sie diesem fantastischen jungen Menschen Ihren Beifall.«

»Okay« – er unterbricht sich und reibt über sein Kinn –, »ich habe hier eine Rede vorbereitet über Staatsbürgerschaft und wie es zu meiner Zeit gewesen ist.« Er schwenkt den Notizblock über seinem Kopf. »Aber ich denke, Sie haben schon genug Reden gehört.« Er legt seine Notizen hin, dreht sich um, zwinkert mir zu, dreht sich wieder um und umfasst die Ränder des Rednerpults.

»Bitte erlauben Sie mir, Ihnen drei Ratschläge zu geben – danach setzt sich der alte Langweiler wieder und lässt Sie weiterfeiern. Erstens«, – er macht eine Pause – »seien Sie mutig. Versäumen Sie keine Gelegenheit, Ihren Verstand leuchten und funkeln zu lassen. Wagen Sie etwas. Nehmen Sie die Herausforderung an, oder – falls sich keine ergibt – suchen Sie selbst nach Herausforderungen.«

Er runzelt die Stirn und macht ein ernstes Gesicht. »Zweitens, geben Sie sich nicht mit Mittelmäßigkeit zufrieden. Machen Sie sich auf die Suche nach einem Traum und verfolgen Sie ihn. Achten Sie darauf, dass jede Ihrer Entscheidungen Sie diesem Ziel näher bringt. Und drittens« – er nickt und lächelt –, »amüsieren Sie sich. Nehmen Sie sich Zeit zum Spielen, denn wenn Sie nicht aus dem Bauch heraus Tränen lachen können, machen Sie aller Wahrscheinlichkeit nach etwas falsch. Ich werde Ihnen nicht ausdrücklich Glück wünschen.« Er hält inne und blickt über die Leute hin. »Ich glaube nicht daran, dass Glück eine dringend erforderliche Zutat zum Erfolg ist. Stattdessen wünsche ich Ihnen die Klugheit, immer gute Entscheidungen zu treffen. Vielen Dank für Ihre Aufmerksamkeit.«

Er tritt vom Rednerpult zurück und nickt, während die Leute klatschen. Er winkt der Menge zu und entfernt sich vom Mikrofon wie der Präsident der Vereinigten Staaten oder Nelson Mandela oder so. Die Zuhörer klatschen immer noch. Alle sind gerührt. So ist das nun mal, wenn man keinen Schlaf bekommen hat und wenn plötzlich das Leben aus den Fugen gerät. Unter solchen Umständen hat jeder das Recht, ein bisschen weinerlich zu sein.

Lächelnd schüttelt Mr Preston den Kopf. Nachdem er sich gesetzt hat, klatschen die Leute immer noch.

Hinterher serviere ich Tee und diese kleinen dreieckigen Häppchen, die immer mit zähen, schlaffen Salatblättern und Fisch aus der Dose belegt sind – meine letzte Pflicht als Vertrauensschülerin. Mr Preston verschlingt die Häppchen gleich im Ganzen.

»Sie sind Rachel«, sagt er mit einem Blick auf seinen Programmzettel. »Was wollen Sie denn nach der Schule mal machen?«

Wie mir diese Frage zum Hals heraushängt! Solange man in die Schule geht, fragen alle: »Was willst du später werden?« »Was hast du vor?« Irgendwann fällt es einem schwer, sich zu beherrschen und nicht loszubrüllen: »ICH WEISS ES NICHT, MANN! Ich will einfach nur zu Ende bringen, was ich jetzt gerade mache!«

Ich weiß wirklich nicht, was ich mit meinem Leben anfangen möchte. Vielleicht Naturwissenschaft? Ich bin gut in Naturwissenschaften. Ich bin auch in Englisch gut. Wie soll man so genau wissen, was man will? Und selbst wenn man weiß, was man will, wie kann man sicher sein, ob man es auch erreicht? Ich grüble darüber nach und beobachte dabei die Verkäuferinnen hinter der Theke. Oder ich sitze im Bus, starre auf den Hinterkopf des Fahrers und frage ihn in Gedanken: Ist es das, wovon du immer geträumt hast? Oder machst du diese Arbeit eben? Wie bist du eigentlich hier gelandet?

Statt Mr Preston anzuschreien, sage ich: »Ich habe mich für einen naturwissenschaftlichen Studiengang beworben. Ich interessiere mich für Meeresbiologie, Astronomie oder forensische Psychologie, aber für ein spezielles Gebiet habe ich mich bis jetzt noch nicht entschieden.«

Meine Mutter behauptet, die Antwort »Ich habe mich noch nicht für ein spezielles Gebiet entschieden« sei kultivierter als »Ich weiß es nicht, Mann«. Wahrscheinlich hat sie Recht.

Nun, meine Rede ist gehalten, das Paracetamol macht sich bemerkbar, ich bin für immer mit der Schule fertig, und ich fühle mich frech und frei.

»Und Sie?«, frage ich. »Was wollen *Sie* machen, wenn Sie groß sind?«

Behutsam stellt er seine Teetasse auf die Untertasse und lächelt mir zu. »Ich will Lokführer werden.«

Als ich Mr Preston das zweite Mal traf, war ich bei der Arbeit. Arbeit ist viel angenehmer als Schule, weil man einmal die Woche Geld bekommt. Das passiert einem in der Schule nie, höchstens wenn man mit Drogen handelt.

Mein Job war es, in dem flippigen Café am Ende der Hauptstraße Cappuccinos und überbackene Sandwiches zu servieren. Das Café ist eine alte, mit rostfreiem Stahl verkleidete Lagerhalle.

Davor auf dem Bürgersteig, mit Sicht auf den Hafen, stehen Tische. Wenn die Sonne untergeht, weht der Dreckdunst von den Industriegebieten über das Wasser und taucht den Horizont in ein wunderbares Orangerot. Nachts huschen die Lichter der Werftanlagen über das Wasser, tanzen in Regenbogenfarben auf verschüttetem Öl und Diesel, und Tanker gleiten lautlos vorbei.

In dem flippigen Café trägt die gesamte Belegschaft diese langen schwarzen Schürzen, die gerade »en vogue« sind. Alle Kellnerinnen außer mir haben kurzes, kräftig getöntes Haar. Ich kann kein kräftig getöntes Haar tragen. Das beißt sich mit meinem ständigen Erröten. Wenn man schon ein sichtbares neurotisches Leiden hat, muss es wenigstens zu einem passen.

Ich serviere also mal wieder diese überbackenen dreieckigen Sandwiches. Kleine Häppchen sind anscheinend mein Schicksal. Der Job wird nicht gut bezahlt, aber Dollars sind Dollars, und bald ist Weihnachten. Um das Weihnachtsfest macht meine Mutter immer ein großes Trara.

Meine Mutter macht um jedes nur mögliche Fest ein großes Trara. Manchmal komme ich nach Hause und sie hat einen Sombrero aus Pappe auf dem Kopf, mein Bruder sitzt in einem Poncho aus Zeitungspapier am Tisch, und plötzlich ist bei uns zu Hause mexikanische Nacht. Ständig finden bei uns irgendwelche Abende statt, die unter einem improvisierten Motto stehen. Meine Mutter liebt es, Feste zu feiern. Sie genießt das Leben.

16

Mein Bruder heißt Brody. Offenbar wollte meine Mutter ihn ursprünglich Benjamin nennen, doch als sie im Krankenhaus war und, leicht dösig von Schmerztabletten, im Vornamenbuch unter B blätterte, stieß sie auf *Brody – Ungewöhnlicher Bart*. Sie konnte sich nicht einkriegen vor Lachen.

Ich fand es erst auch ganz witzig, bis ich dann meinen eigenen Namen nachschlug. Er bedeutet »Mutterschaft«. Meine Mutter betrachtet uns immer mit einem kleinen Augenzwinkern. Für sie sind wir ein nie versiegender Quell der Erheiterung.

Na gut, Mr Preston kommt also herein und bestellt einen Espresso zum Mitnehmen. Er sieht mich an, runzelt die Stirn, sieht weg. Er stützt den Arm auf die Theke. Er trägt einen teuer aussehenden pflaumenfarbenen Anzug. Ich gieße Espresso in den kleinen Kunststoffbecher.

Alle im Café stehen auf Grace Jones' *Walking in the Rain*. So abgefahren ist dieses Café – mit Stolz spielen sie die Musik aus den späten Siebzigern und die Kunden lieben sie.

Mr Preston dreht sich wieder zu mir herum. Ich sehe ihm an, dass er versucht, mich unterzubringen. Ich stelle den Kaffee auf die Theke und sage: »Pipileicht.« Er lächelt. »Richtig«, sagt er. »Sie sind die astronomische forensische Biologin.«

Er bezahlt und schlendert aus dem Café.

Meine dritte Begegnung mit Mr Preston fand wieder im Café statt. Es war Mittagszeit und wir hatten den ganzen rückwärtigen Bereich für eine Kostümparty reserviert. Ich war in der Küche und füllte Blätterteigpastetchen. Der Chef hatte gerade eine Angstattacke. Der Chef bekam immer eine Angstattacke, wenn gleichzeitig mehr als drei Tische besetzt waren.

Er briet Kalbsfilets, weinte und sang dabei *Somewhere Over the Rainbow*. Alle paar Minuten drehte er sich zu mir herum und rief: »O nein! Das ist alles zu viel, Toto.«

Mr Preston ließ einen Umschlag auf der Theke liegen. Darin waren eine kurze Notiz und ein Zeitungsausschnitt.

Sie scheinen Fantasie und Witz zu haben. Vielleicht möchten Sie sich, während die Welt der Meerespsychologie ungeduldig auf Ihren Beitrag wartet, mit folgender Herausforderung befassen?

STELLE FREI
Häusliche Pflegerin gesucht zur Unterstützung einer Frau im persönlichen Bereich und im Haushalt. Möbliertes Zimmer wird gestellt. Geschäfte und Universität in der Nähe.
Erfahrung im Bereich der Behindertenpflege erwünscht, aber nicht erforderlich. Geeignet für Studentin/Krankenschwester/Beschäftigungstherapeutin oder dergleichen.
Bezahlung nach Vereinbarung.

2

Ich nahm die Anzeige mit nach Hause und zeigte sie meiner Mutter. Sie runzelte die Stirn.

So nach und nach habe ich angefangen, meine Mutter tatsächlich um Rat zu fragen, wenn sich in meinem Leben etwas tut. Noch vor ein paar Jahren hatte ich in solchen Situationen immer abgewartet, bis sie gerade intensiv mit etwas anderem beschäftigt war, zum Beispiel mit Nachrichten schauen oder Lesen. Dann war ich ins Zimmer geschlichen und hatte wie nebenbei gesagt: »Ich will ein Pony kaufen. Wenn du in den nächsten drei Sekunden nichts sagst, heißt das, ich darf ... *eins, zwei, drei* ... danke, Mum.«

Inzwischen bin ich dahinter gekommen, dass sie tatsächlich mehr weiß als ich. Es war eine Offenbarung für mich, wenn man bedenkt, dass ich achtzehn bin und alles weiß – na gut, nicht *alles*, aber doch eine ganze Menge über eine ganze Reihe von Dingen. Zum Beispiel weiß ich, dass keine Nachricht nicht unbedingt eine gute Nachricht bedeutet. Es kann auch bedeuten, die schlechte Nachricht erreicht einen erst weit nach dem Zeitpunkt, zu dem man etwas zur Verbesserung der misslichen Lage hätte unternehmen können.

Ich entdeckte die Klugheit meiner Mutter eines Nachmittags, als wir bei einem eisgekühlten Likör zusammensaßen und uns unterhielten. Wir saßen auf der hinteren Veranda. Der Nachmittag stand unter keinem bestimmten Motto (obwohl, hätte ich meiner Mutter die Gelegenheit gegeben, hätte sie ihn wegen der üppig blühenden Myrtenheide »Australiana« genannt).

Ich erzählte ihr von einer meiner Schulfreundinnen, Amanda, die bei diesem absoluten Neandertaler einziehen wollte. Er macht eine Lehre als Fliesenleger, und die intelligenteste Unterhaltung, die ich je mit ihm hatte, fand statt, als er stinkbesoffen war (und dieser Zustand sorgt *immer* für muntere Wortwechsel, oder?).

Bozza (so hieß er) gab mir eine detaillierte Beschreibung, wie er an diesem Tag gelernt hatte, dass man eine Fliese mit geschnittener Kante nicht für die unterste Reihe einer Dusche verwenden durfte, weil sonst die Feuchtigkeit einsickert und die Fliese verfärbt. Er sprach mit monotoner Stimme. Ich konnte fast sehen, wie er im Geist jede Silbe ausmaß, ganz wie ein kleines Kind, das ein maßstabgetreues Modell der Anzac-Brücke aus Eisstielen und Krepppapier bauen will.

Ich fand, so sagte ich also zu meiner Mum, ich müsse Amanda sagen, dass sie einen Fehler mache.

»Rachel, Liebling«, sagte Mum, »was meinst du, was du damit erreichst?«

»Na ja, sie wird nicht bei ihm einziehen.«

Meine Mutter schüttelte den Kopf. »Nein«, sagte sie. »Sie *wird* bei ihm einziehen und sie wird nicht mehr deine Freundin sein. Und wenn sie dann doch ausziehen will, wird sie dich nicht um Hilfe bitten, denn das würde dir Gelegenheit geben aufzutrumpfen: ›Ich hab's dir ja gesagt.‹«

Ich nippte an meinem roten Likör, lauschte dem Klirren der Eiswürfel und dachte darüber nach, was Mum gesagt hatte. Mir dämmerte damals, dass sie diese Methode schon seit Jahren bei mir angewendet hatte, und mir war es nicht einmal aufgefallen.

Ich zeigte ihr also die Anzeige und sie runzelte die Stirn.

»Hier steht, Geschäfte und Uni sind in der Nähe«, sagte ich und nickte in der Hoffnung, sie würde auch nicken.

»Es klingt nach einer großen Aufgabe, Liebling.«

»Ach was«, sagte ich und winkte ab, »es ist wie Babysitten.«

Sie rutschte auf ihrem Stuhl hin und her, sagte aber nichts.

»Ich verdiene Geld damit, dass ich dort im Haus wohne. Ist das nicht super?«

»Aber es geht nicht nur darum, dass du dort im Haus wohnst. Du bist für einen anderen Menschen verantwortlich. Du bist *verantwortlich*.«

»Aber ich verdiene Geld, und es ist nah bei der Uni.«

Sie lehnte sich auf ihrem Stuhl zurück und verschränkte die Arme. »Du kannst tun, was du möchtest, nur über eines musst du dir im Klaren sein: Wenn du in der Uni bist, lernst du. Das ist harte Arbeit. Wenn du nicht lernst, wirst du gern mal in die Stadt gehen wollen, neue Freundschaften schließen oder dich mit Jungen treffen. Du wirst Freunde mit nach Hause nehmen wollen. Das alles wirst du nicht tun können.«

Plötzlich wurde ich traurig. Ich habe nicht viele Freunde. Da ist Kate, mit der ich im Café arbeite, und ein paar Freunde aus der Schule, aber die sind hauptsächlich meine Freunde, weil wir in der gleichen Klasse waren. Ich bin eine Art Einzelgänger.

Ich wollte meiner Mutter sagen, dass ich gar keine Lust haben würde, in die Stadt zu gehen. Ich weiß nicht gut Bescheid über Jungen und über Klamotten. Andere Mädchen in der Schule scheinen sich mit solchen Sachen instinktiv auszukennen. Ich nicht. Ich bin ein unscheinbarer Sperling. Der Job würde zu mir passen, weil er mir eine Ausrede lieferte. Ich könnte mir einreden, ich geh nicht aus, weil ich arbeite – und nicht, weil mich niemand dazu aufgefordert hat.

»Kann nicht schaden, wenn ich zu einem Einstellungsgespräch gehe«, murmelte ich.

Meine Mutter strich mir über die Schulter und lächelte. »Tu das, was du tun willst, Liebling. Ich möchte nur, dass du dabei glücklich bist.«

Das Einstellungsgespräch fand in einem Bürogebäude in der Innenstadt statt. Es handelte sich um eine private Agentur, die auf Stundenbasis »Pflegekräfte« für ältere oder behinderte Menschen vermittelte.

Meine Gesprächspartner waren die Leiterin der Agentur und (Überraschung, Überraschung) Mr Alistair Preston. Die Leiterin war eine attraktive Frau in konservativem dunkelblauem Nadelstreifenkostüm.

Sie lächelte, schüttelte mir die Hand und dankte für mein Kommen.

Ich sollte mietfrei in einem Haus mit zwei Schlafzimmern wohnen, nahe der Universität. Ich sollte ein Gehalt von 135 Dollar die Woche erhalten.

135 Dollar pro Woche! Mir blieb der Mund offen stehen. Ich musste mich um eine hirnverletzte Frau namens Grace kümmern. Für vierzehn bis zwanzig Stunden die Woche würde mich eine Krankenschwester ablösen, die Grace regelmäßig physiotherapeutisch betreute.

»Grace wird von dieser Agentur versorgt, seit sie das Krankenhaus verlassen hat«, sagte die Leiterin. »Wir haben ihr schon eine ganze Reihe von Pflegekräften auf Rotationsbasis vermittelt, so dass sie immer rund um die Uhr versorgt war. Wir haben diesen Service natürlich gern angeboten, doch es ist für uns eine eher ungewöhnliche Art der Pflege. Grace ist eine außergewöhnliche Patientin, weil es in ihrem Fall keine Hauptpflegekraft gibt.

Normalerweise besteht unsere Dienstleistung darin, dass wir jemanden zur Ablösung für die an erster Stelle Pflegenden vermitteln, das sind gewöhnlich Eltern, erwachsene Kinder oder andere Familienmitglieder. Zu unserem Angebot gehören Beurteilungsgespräche, die in sechsmonatigem Abstand mit dem Arzt und der Familie des Betroffenen geführt werden.«

Mr Preston beugte sich vor. »Bei der letzten Sitzung sprachen wir davon, dass dieser Strom von ständig neuen Gesichtern eine nachteilige Wirkung auf Graces

Fortschritte haben könnte. Seit sie zu Hause ist, sehen wir noch keine Verbesserung ihres Zustands. Wir wissen nicht, ob er sich je bessern wird, aber wir haben beschlossen, eine Hauptpflegekraft für sie einzusetzen. Diese Person wird, da sie fast ständig mit Grace zu tun haben wird, am ehesten in der Lage sein, jede Veränderung in ihrem Verhalten wahrzunehmen. Um stundenweise Ablösung für diese Pflegekraft wird sich die Agentur weiterhin bemühen, so wie sie das auch für andere Patienten tut.«

»Aber ich habe keine Ausbildung«, unterbrach ich.

»Ihr Zustand erfordert nicht unbedingt eine spezielle Ausbildung«, erklärte die Leiterin. »Sie kann gehen. Sie kann selbst essen. Aber sie tut nichts ohne Anleitung. Sie kann hören, aber sie reagiert nicht und sie spricht nicht. Eine Art Grundausbildung werden Sie gewiss brauchen, erste Hilfe und so weiter. Wir halten hier Kurse ab und haben uns die Freiheit genommen, Sie und die anderen Bewerber in dem Kurs anzumelden, der am Samstag beginnt. Ansonsten ist die Aufgabe nicht unähnlich der eines Kindermädchens. Natürlich steht sofort eine Krankenschwester zur Verfügung, wenn Sie Hilfe brauchen, das gehört zu unserer Dienstleistung«.

Ich fand, das war wie Essen und Abwaschen in einem.

Kein Problem!

3

An einem Donnerstag bekam ich den Brief mit der Zusage für einen naturwissenschaftlichen Studiengang an der Universität von Newcastle. Ich hätte begeisterter sein müssen, aber weil ich in der Schule hart gearbeitet hatte, überraschte mich die Zusage nicht. Ich hatte geerntet, was ich gesät hatte. Ich hatte das Eisen geschmiedet, solange es heiß war.

Am folgenden Samstag fing ich mit meinem Kurs für den Job an. Am ersten Tag lernte ich, wie man eine Schiene anlegt und wie man jemandem hilft, der am Ersticken ist.

An den Nachmittagen arbeitete ich mit Kate im Café. Sie ist ein paar Jahre älter als ich. Kate gehört zu diesen schlanken, tollen Mädchen, die ihr Haar kurz tragen können.

Ich kann kein kurzes Haar tragen. Und ich sehe aus wie ein Junge – wie ein hässlicher Junge mit einem schlechten Haarschnitt.

Kate kann jederzeit eine neue Mode kreieren. Sie könnte einen Sack anhaben und die Leute würden sagen: »*Dein Leinenkleid ist einfach toll, woher hast du das?*« Zu mir würden sie nur sagen: »*Entschuldige, aber warum trägst du einen Sack? Demonstrierst du gegen irgendwas?*«

Ich hoffe, dass ich mich eines Tages so locker geben kann wie Kate. Sie ist schon seit sechs Jahren an der Uni. Ihre Schulden für das Studiendarlehen müssen ungefähr dem Bruttoinlandsprodukt einer kleinen Nation entsprechen. Sie studiert Ingenieurwesen und ist blitzgescheit, deshalb wird sie es sich wohl leisten können.

Am Abend, während wir Kasse machen, erzähle ich Kate von dem neuen Job.

»Wie sozial von dir«, erwidert Kate lächelnd.

»Wie meinst du das?«

»Versteh mich nicht falsch – es hört sich toll an! Es ist nur, na ja, du kommst mir mehr wie ein zurückgezogener Wissenschaftlertyp vor, der im Stillen vor sich hin forscht, deswegen«, sagt Kate. »Ich habe dich immer in einem grell weißen Labor gesehen, wo du Mäusen Körperteile anflickst oder so.«

»Wirklich?«

»Ja. Du siehst immer so höllisch intellektuell aus«, sagt sie.

Ich würde an meinem Image arbeiten müssen.

»Ich dachte immer, ich sehe spröde aus.«

»Ja, schon«, sagt Kate, »aber irgendwie hintergründig. Du machst auf mich den Eindruck, als würdest du dich insgeheim ständig über etwas amüsieren.«

Mit gerunzelter Stirn lasse ich die Münzen von der Theke in meine Hand gleiten und zähle sie.

»Tut mir Leid«, sagt sie, »habe ich jetzt deine Selbstachtung angeknackst?«

»Allerdings! Ich dachte, ich wirke auf andere irgendwie clever und eigenwillig, wie …« Ich kratze mir die Stirn und suche nach einer geeigneten Entsprechung. »… wie ein überzüchteter Weimaraner Welpe.«

»Ja, klar, wie ein überzüchteter Weimaraner Welpe«, sagt Kate, »gekreuzt mit, sagen wir … Gargamel oder vielleicht Doktor Elefan?«

»Oh.«

Ich bin ein wenig ratlos. Auf dem Heimweg denke ich darüber nach. Erstens sind Gargamel und Doktor Elefan *Jungen*. Zweitens sind beide hässlich – so richtig hässlich! Ich fasse es nicht! Wenn man schon mit Cartoonfiguren verglichen wird, wäre es ja ganz nett, wenn sie wenigstens annähernd das eigene Geschlecht hätten!

Am Ende des Erste-Hilfe-Kurses rief mich Mr Alistair Preston an. Ich erzählte ihm, dass ich eine Zusage von der Universität bekommen hatte. Er gratulierte mir, dann sagte er: »In den letzten Monaten haben wir uns mit etlichen Bewerberinnen unterhalten, von denen uns keine so recht überzeugt hat. Aus allen möglichen Gründen. Ich habe bei der Schulabschlussfeier mit Ihrer Direktorin gesprochen. Wir sind seit vielen Jahren befreundet. Sie beschrieb Sie als verantwortungsvoll, intelligent und mit einem köstlichen, spröden Humor ausgestattet.«

Schon wieder dieses Wort.

»Ihr Chef im Café, der auch ein alter Bekannter von mir ist, sagt, Sie seien pünktlich, zupackend und haben einen ausgezeichneten Umgangston mit Gästen. Auf der Basis dieser Empfehlungen und nach Ihren guten Leistungen im Kurs haben wir nun über Ihre Eignung gesprochen und sind zu dem Ergebnis gekommen, dass Sie, bei entsprechender Unterstützung durch das Pflegepersonal, für die betreffende Aufgabe mehr als fähig sein müssten. Und wenn man das Gehalt bedenkt und die Lage des Hauses in unmittelbarer Universitätsnähe, so müssten Sie trotzdem auch Ihren Studien nachgehen können.«

»Super«, sagte ich.

»Wollen Sie den Job immer noch?«, fragte er.

»Ja«, sagte ich.

»Es wird nicht einfach sein«, sagte er. »Was halten Sie davon, wenn wir Sie zur Probe einstellen?«

Was soll das? Niemand glaubt, dass ich diesen Job machen kann. Meine Mutter nicht, Kate nicht – und jetzt zweifelt sogar der Typ, der mir den Job angeboten hat, an meinen Fähigkeiten.

Ich habe ein A+ bei der Behandlung von Schlangenbissen und Hyperventilation bekommen. Was ist so schwer an dem Job? Was muss ich tun, um zu beweisen, dass ich es kann?

»Ich mache es.«

4

An einem Samstag fuhr ich mit meinem Auto zu meinem neuen Zuhause und kam pünktlich an.

Ich habe ein Auto, das ist älter als ich. Bevor die Bremse funktioniert, muss ich oft erst ein paarmal kurz darauf treten. Das Auto verbraucht mehr Öl als Benzin. Außerdem wird aus der Lüftung heiße Luft durch die Heizungsschlitze ins Innere geblasen und sie lässt sich nicht abschalten. Die Sache wäre nicht so schlimm, wenn man die Fenster richtig öffnen könnte, aber der Mechanismus funktioniert nicht. Im Winter macht mir das nichts aus, weil einen die heiße Luft warm hält, aber im Sommer kann die kondensierte Kühlflüssigkeit widerlich sein.

Natürlich habe ich mir Gedanken gemacht, wie sich das auf meine Gesundheit auswirkt, wenn ich ständig den Dampf der Kühlflüssigkeit einatme. Kann ja nicht gerade gut sein, oder? Ich habe also immer meinen guten alten Schnorchel auf dem Beifahrersitz, den stecke ich beim Fahren durch den schmalen Schlitz zwischen Scheibe und Fensterdichtung auf der Fahrerseite.

Na gut, ich fand also das Haus. Vermutlich war die Straße früher eine Hauptdurchgangsstraße, aber jetzt hatte man ihr Ende durch mächtige Platanen versperrt, deren Äste weit über die Straße ragten und in der

Mitte zusammentrafen. Kühl und still ist es hier, nur Vögel sind zu hören.

Drei Häuserblocks weiter ist die »Restaurant-Meile«. Es gibt Massen von Restaurants, mexikanische, italienische und türkische. Ich esse gern türkisch. Ich sitze gern auf diesen kleinen Kissen. Dann gibt es noch die »moderne australische Küche«. Ob die in einschlägigen Kreisen »MAK« genannt wird?

Soweit ich festgestellt habe, bedeutet »moderne australische Küche«, dass das Essen nicht flach auf einem gewöhnlichen Teller angerichtet wird, sondern in der Mitte eines sehr großen Tellers kegelförmig aufgetürmt wird.

Das Haus wirkt nett und gemütlich, wie man es manchmal in Landhausmagazinen sieht. Vor einem weißen Lattenzaun nicken Agapanthus und durch die Latten stecken rosa und weiße Gänseblümchen ihre Köpfe. Steinplatten, von üppig wucherndem Unkraut aufgeworfen, führen zu einer kleinen Vorderveranda.

Die Haustür steht offen. Ich kann durch den Flur bis in das grün und gelb gesprenkelte Licht des hinteren Gartens sehen. Der Flur hat eine hohe Decke. Ich höre das hallende Getrappel von Schritten auf einem polierten Holzfußboden. Ich höre Stimmen aus dem Innern des Hauses.

Im Flur, einander gegenüber, sind zwei offen stehende Türen. Das Zimmer rechts ist gelb wie der Flur, das andere ist cremefarben. Ich sehe ein großes Mahagonibett mit vier Pfosten und einem hellen Moskitonetz, das mit zwei großen Satinschleifen an der Wand befestigt ist. Hoffentlich ist das mein Zimmer.

Weiter hinten im Flur geht es in die Küche.

Durch ein großes Dachfenster fällt weiches Licht. An der Wand gegenüber steht ein Regal, vom Boden bis zur Decke voller Kochbücher, Farnpflanzen und Geschirr.

Als ich in der Tür zum Wohnzimmer stehen bleibe, sehe ich zwei Frauen. Eine trägt hellrosa Gummihandschuhe. Sie sitzt auf dem Kaminvorleger vor einem großen gemauerten Kamin, einen Karton zwischen den ausgestreckten Beinen, und rollt eine Glasvase in Zeitungspapier ein.

Sie hebt die Vase hoch und verstaut sie in dem Karton. Der Kaminsims ist kahl, wahrscheinlich, weil alle Ziergegenstände, die darauf gestanden hatten, jetzt in Zeitungspapier gewickelt in dem Karton liegen.

Die andere Frau trägt einen Overall aus Jeansstoff. Ihre Lippen sind schmal und gespannt. Sie steht, die Hände in die Hüften gestemmt, mitten im Zimmer und sieht der Frau mit den Gummihandschuhen zu.

Manche Leute haben Ähnlichkeit mit einem Tier – sie sehen aus, wie ein Tier aussehen würde, wenn es in einen Menschen verwandelt würde. Die Frau im Overall mit den schmalen Lippen erinnerte mich an ein Tier.

An was für eins bloß?

Ich will von vornherein klar machen: Ich bin so tolerant wie jede allwissende Achtzehnjährige (die alles weiß, na gut, nicht *alles*, aber ich weiß zum Beispiel, dass ein Topf Wasser, den man beobachtet, am Ende eben doch kochen wird). Aber das Äußere dieser Frauen konnte ich schon in den ersten dreißig Sekunden nicht leiden. Ihre Frisuren gefielen mir nicht. Ihre Kleider gefielen mir nicht. Ihre Schuhe gefielen mir nicht.

Gummihandschuhe erinnern mich sofort an diese rivalisierenden Mütter in der Schule – solche, die nicht aus echter Gefälligkeit in der Mensa mithelfen, sondern deshalb, weil sie übereifrige Betriebsnudeln sind; solche, die glauben, der Tag der offenen Tür ist dazu da, dass die besten Eltern mit einem Preis ausgezeichnet werden.

Und die große? Ich bin überzeugt, dass ihr Auto übersät ist mit Aufklebern, auf denen Männerhass propagiert wird, und von solchen, die mit »Ich hupe für …« anfangen. Wie kann man jemand ernst nehmen, der aussieht, als ob er Aufkleber mit Sprüchen wie »Ich hupe für …« an der Stoßstange hat?

»Also, das Klavier kannst du nicht haben«, verkündet Gummihandschuh und reibt die Hände aneinander. »Ich habe Jeremy schon bei einem Klavierlehrer angemeldet. Drei Monate Klavierstunden habe ich im Voraus bezahlt. Eine gute Tante wird doch dem kleinen Jeremy nicht das Herz brechen.«

Ich werfe einen Blick um den Türrahmen und sehe an der Wand gegenüber dem Kamin ein Klavier stehen.

Die Frau mit dem verkniffenen Mund runzelt die Stirn. »Du weißt, dass ich ein paar von diesen Vasen haben will *und* das Lampentischchen.« Sie spricht sehr schnell und schüttelt dabei den Kopf. Noch etwas, das mir an ihr nicht gefällt.

»Den Lampentisch bekommt Angelika. Das ist schon abgesprochen«, sagt Gummihandschuh.

Strichmund schnieft. »Dann nehme ich den ledernen Lehnstuhl.« Beide drehen sich von mir weg. Da sehe ich in der anderen Ecke des Zimmers eine dritte Frau.

Sie sitzt in einem dunklen Mahagonilehnstuhl, über den Beinen eine dicke grüne Wolldecke. Ihr Haar ist glatt und strähnig und hängt ihr ins Gesicht. Ihr Mund steht offen. Sie sitzt irgendwie verdreht, schaut mit leerem Blick aus dem Fenster und streichelt abwesend eine kleine schwarze Katze, die auf ihrem Schoß sitzt.

»Mein Gott, Brioney!«, sagt Gummihandschuh. »Sie benutzt den Lehnstuhl doch. Oder willst du sie vielleicht auf den Boden kippen?«

Strichmund wirft den Kopf nach hinten. »Wir besorgen ihr einen anderen Stuhl. Sie kann den aus dem Schuppen haben.«

Mit einem Knall setze ich meinen Koffer auf dem Boden ab. Erschrocken drehen sich die beiden zu mir herum, dann werfen sie sich schnell einen Blick zu.

»Sie müssen die neue Pflegerin sein«, sagt Gummihandschuh. Beide strahlen mich mit größter Falschheit an.

»Wir rangieren gerade ein paar von den alten Sachen hier aus, damit Sie mehr Platz haben«, sagt Strichmund. »Wir wollten unbedingt herkommen und gründlich sauber machen. Sie verstehen, das Haus ein wenig aufräumen.«

Für mich sieht es eher so aus, als ob sie klauen.

»Das ist wirklich nicht nötig, ich habe weiter nichts mitgebracht als das hier.« Ich zeige auf meinen Koffer. »Eigentlich nur meine Kleidung.«

Wieder werfen sie sich einen kurzen Blick zu. »Na gut, wir räumen Ihnen nur ein paar Sachen aus dem Weg, dann können Sie sich hier einrichten.«

Gummihandschuh müht sich mit dem Karton voll eingewickelter Sachen. »Hilfst du mir jetzt oder nicht?«

Sie schleppen den Karton zur Tür.

»Stellt den Karton ab!«, kommt eine tiefe ruhige Stimme von der Tür hinter mir. Beide Frauen zucken zusammen, Strichmund entfährt ein kleiner Schrei. Ich drehe mich um und sehe einen großen knurrigen Bären.

»Alistair!«, rufen sie einstimmig. »Wie schön, dich zu sehen. Wir wussten nicht, dass du heute kommen wolltest. Wir haben gerade ein bisschen aufgeräumt.«

»Ich habe gesagt, stellt den Karton ab.«

Sie lassen den Karton los und er schlägt mit einem dumpfen Geräusch auf dem Boden auf.

»Jetzt leert eure Taschen!«

»Komm schon, Alistair, das ist doch wohl nicht nötig?«, sagt Strichmund. »Was meinst du, Liebe?« Sie wendet sich Hilfe suchend an Gummihandschuh.

»Ich habe gesagt, leert eure Taschen!«

Gummihandschuh greift in ihre Tasche und zieht Autoschlüssel heraus. »Siehst du?«, lächelt sie.

Strichmund verschränkt die Arme über der Brust.

Sie kreischt los, als der große, knurrige Bär auf sie

losgeht und seine Hand in die Brusttasche ihres Overalls steckt. »Das ist unerhört!«

Er hält ihr die Faust vors Gesicht. Um seine Finger schlingt sich ein feines goldenes Armkettchen mit einem herzförmigen Verschluss.

»Sie braucht es nicht mehr!«

»Raus! Ihr Aasgeier!«, donnert er.

Die beiden greifen nach dem Karton und wuchten ihn unter Klirren und Klappern durch den Flur. Mr Preston hält sich das Goldkettchen vor die Augen, die feinen Glieder liegen in seiner Hand.

Ich stehe immer noch in der Tür, meine Tasche unter dem Arm, den Koffer zu meinen Füßen.

Ohne mich überhaupt zur Kenntnis zu nehmen, geht Mr Preston eilig zu der Frau im Lehnstuhl. Er kniet vor ihr nieder, streicht ihr das Haar aus dem Gesicht und hinter die Ohren. Der große, knurrige Bär ist verschwunden.

»Hallo, Grace.« Einen Augenblick hält er seine große Hand an ihr Gesicht. Dann schlingt er das Goldkettchen um ihr Handgelenk und knipst den Verschluss zu.

Die Frau sitzt da, schaut aus dem Fenster, die kleine schwarze Katze hat sich auf ihrem Schoß zusammengerollt. Die Katze mustert Mr Preston – eine Störung in ihrem Schlaf –, streckt sich, gähnt, plinkert mit ihren grünen Augen.

Die Frau bewegt sich nicht, antwortet nicht.

Ihr Haar ist etwas länger als schulterlang, dunkelbraun und ziemlich dick, die Spitzen ringeln sich leicht. Sie hat dunkle, schön geformte Augenbrauen, ihre großen braunen Augen blicken stumpf. Ihre dunklen Lippen sind voll, aber sie hängen schlaff herunter.

Sie sieht merkwürdig aus, wie Schneewittchen. Ich werde in einem Haus mit Schneewittchen wohnen.

Also, ich bin bestimmt kein Märchenprinz, aber als Zwerg kann ich doch wohl durchgehen?

5

Mr Preston führte mich durch das Haus. »Das ist Ihr Zimmer«, sagte er und trat zurück, damit ich eintreten konnte. Mein Zimmer war das gelb gestrichene. Auch hier war Holzfußboden, ein blassblauer Teppich lag darauf.

In der Mitte des Zimmers stand ein Messingdoppelbett mit einer bunten, bäuerlichen Steppdecke aus gelb und blau geblümtem Stoff. Neben der Tür war eine Frisierkommode aus hellem Holz (wenn eine solche Kommode benutzt wird, sieht sie normalerweise chaotisch aus, diese hier sah aber eher verschlafen aus – ha, ha!). »Das Zimmer von Grace ist gegenüber.« Ich folgte ihm in das cremefarbene Zimmer. Neben dem Mahagonibett mit den Nachttischchen zu beiden Seiten stand ein Schaukelstuhl. Weiche gebauschte helle Vorhänge fielen über eine Schiebetür, die auf die Veranda führte.

Rechts vom Bett war ein begehbarer Schrank. »Hier kann man zum Arbeitszimmer durchgehen«, sagte Mr Preston und führte es vor.

Ich steckte den Kopf durch den Schrank in einen kleinen Raum mit Büchern und einem Computer. Der würde mir gelegen kommen.

»Den Flur hinunter links sind Wohnzimmer und

Küche, daneben das Bad«, sagte er und deutete auf die geschlossene Tür.

Mr Preston nahm die Katze hoch und legte sie in seinem angewinkelten Arm auf den Rücken. »Und das hier ist Prickles.«

Ich hob eine Augenbraue. (Das kann ich. Habe ich von meiner Mutter geerbt. Es ist sehr nützlich, besonders, wenn einem gerade nichts Kluges einfällt.)

»Prickles? Der Stachlige?«

»Das ist eine lange Geschichte.«

Ich denke mir oft zum Spaß coole Namen für Tiere aus. Ich finde, ein guter Name für einen kleinen Hund wäre Eccleston. Früher, als ich klein war und wir zum Zelten fuhren, kamen wir immer an einem bestimmten Ort vorbei. Bevor man hineinfuhr, kam ein Schild, darauf stand »Eccleston«. Dann kam eine Kirche und ein Haus und dann ein Schild, darauf stand wieder »Eccleston«.

Ich würde mir gern einen kleinen Hund kaufen und ihn Eccleston nennen, weil bei einem kleinen Hund der Anfang nicht weit vom Ende entfernt ist. Bestimmt würde ich mich über seinen Anblick immer wieder freuen. Da bin ich ganz die Tochter meiner Mutter.

Mr Preston stützte sich mit dem Unterarm gegen den Türbalken über seinem Kopf. »Was meinen Sie? Haben Sie ein gutes Gefühl?«

»Klar.«

»Sie werden sich schon eingewöhnen. Ich komme fast täglich her, um die Geier abzuwehren«, sagte er lächelnd.

»Sind es Ihre Schwestern?«, fragte ich.

»Himmel nein, es sind die Schwestern von Grace.« Er legte den Kopf schräg und sah mich mit einem leichten Stirnrunzeln an.

Wer ist dann er? Ich meine, in welchem Verhältnis steht er zu der Frau? Zu Grace?

»Bezahlen Sie mich?«

Mr Preston verzog einen Mundwinkel zum Lächeln. »Ich denke nicht. Im Wesentlichen werden Sie von Grace bezahlt. Ich kümmere mich um ihre Finanzen und ihre Rechtsangelegenheiten.«

Dann ist er also ihr Anwalt oder Steuerberater oder so. Hm, dafür finde ich ihn aber ganz schön besorgt um sie.

Mr Prestons Telefon klingelte. Er nestelte es aus seiner Brusttasche. »Preston.«

Ich beobachtete ihn, während er telefonierte. Seine Telefonstimme klang tiefer und lauter. Er ging auf und ab, machte ein finsteres Gesicht und fuhr sich mit den Fingern durch das Haar. Schließlich steckte er das Telefon wieder ein.

»Ich muss gehen. Eigentlich hatte ich vorgehabt, länger zu bleiben.«

Mr Preston verabschiedete sich von der Frau und versprach, morgen wiederzukommen, dann fuhr er in seinem großen schwarzen Wagen davon.

Die Hände in die Hüften gestemmt, stand ich im Wohnzimmer. Die Frau saß in ihrem Stuhl. Ich hatte keine Ahnung, was ich tun sollte.

»Hmm … wollen Sie fernsehen?«, sagte ich zu ihr.

Schweigen.

Ihr Kopf hing ein wenig zur Seite, sie lehnte unnatürlich schlaff in ihrem Stuhl wie eine Stoffpuppe. Ihr Blick war glasig und auf kein bestimmtes Ziel gerichtet. Seitlich an ihrem Mund hatte sich Speichel gebildet, er tropfte über ihre Lippe herab und hinterließ einen kleinen dunklen Fleck auf ihrem Hemd.

Ich wandte schnell den Blick ab und sah mich suchend im Zimmer um.

»Hmm … wo ist der Fernseher?«

Schweigen.

Ich ging zu dem Schrank, der an der Wand gegenüber dem Sofa stand, und machte die Türen auf.

»Hier ist er ja.« Ich deutete in den Schrank und sah dabei die Frau an. Sie starrte vor sich hin. Ein dünner Spuckefaden baumelte von ihrem Kinn.

»Das haben Sie wohl schon gewusst«, murmelte ich.

Schweigen.

Ich beugte mich vor, um mir den Fernseher näher anzusehen.

»Hmm … wo sind die Knöpfe?«

Ich trat zurück und drehte mich im Kreis.

Ich schloss die Augen, legte meine Finger an die Schläfen und versuchte, ihn mit übersinnlicher Kraft anzuschalten.

Nichts. Ich vermute, dazu muss man ein Medium sein.

Ich hörte ein dumpfes Geräusch auf dem Holzfußboden. Prickles war vom Fensterbrett gesprungen, schlenderte in die Küche und setzte sich neben seinen

Fressnapf. Er schaute hinein, schaute mich an, schaute in den Napf, schaute mich an, blinzelte mir zu.

»Blinzel mich nicht so an, du frecher Teufel«, sagte ich und ging zu ihm in die Küche.

Ich könnte die Katze füttern. Dann hätte ich etwas zu tun.

»Hast du Hunger, Mieze? Möchtest du was fressen?« Ich durchforschte die Küchenschränke. Viel war nicht drin – jede Menge Gewürze, Mehl, Nudeln und Fertigsaucen, aber nichts, womit man ein Essen machen könnte.

Im Schrank fand ich eine Schachtel Trockenfutter und ein paar Dosen Katzenfutter. Ich schüttete Trockenfutter in den Napf. Prickles schnupperte daran. Er stellte den Schwanz steil auf, ließ ihn leicht erzittern, stolzierte zurück ins Wohnzimmer und sprang aufs Sofa.

Ich ging wieder zum Fernsehschrank. Als ich mich darüber beugte, entdeckte ich an der Rückseite eine Fernbedienung. Ich nahm sie, trat einen Schritt zurück und probierte die Knöpfe durch.

Ich hob die Katze hoch, setzte mich und nahm sie auf den Schoß.

»Willst du etwas anschauen, Mieze?«

Flick, flick, flick.

»Weißt du, Mieze, ich glaube nicht, dass um diese Zeit schon amerikanische Comedys laufen.«

Flick, flick, flick.

»Nun sieh dir das an! Kramer ist schon wieder durch die Tür gefallen. Wer hätte das gedacht? Jede Episode eine Überraschung.«

Prickles und ich schauten zwei Stunden Comedys. Ich versorgte ihn mit geistvollen Kommentaren.

Gegen halb zehn zupfte ich die Frau an der Schulter. Sie stand auf, ich ging hinter ihr her, fasste sie an der Taille und dirigierte sie in ihr Schlafzimmer.

Ich suchte in ihrem Schrank und fand ein T-Shirt und Boxer-Shorts. Ich schälte sie aus ihrem Trainingsanzug und vermied dabei krampfhaft, mit dem Spuckefleck in Berührung zu kommen. Sie saß in der Unterwäsche auf dem Bett und blickte ausdruckslos über meine Schulter. Ihr Bauch wölbte sich schlaff und ihre Schultern waren nach vorn gesackt.

Ich wurde rot, als ich um sie herumfasste und ihren BH aufhakte. Ich spürte ihren Atem an meinem Hals und ich roch ihn – säuerlich, unangenehm. Ich zog ihr das T-Shirt und die Shorts an, gab mir Mühe, nicht so genau hinzusehen und nicht viel darüber nachzudenken, und machte sie so schnell wie möglich bettfertig.

Ich schob sie ins Bett und zog ihr die Decke bis zum Hals.

»Also dann. Gute Nacht und schöne Träume.«

Die Frau schloss die Augen und ich blieb auf der Bettkante sitzen und betrachtete sie eine Weile. Ich merkte, dass ihr Bein unbequem zwischen den Decken steckte, deshalb schlug ich sie zurück und strich sie wieder glatt.

Es war unheimlich. Hoffentlich ging ich richtig mit ihr um. Ich tat ja weiter nichts, als sie von einem Zimmer ins andere zu bugsieren.

Langsam ging ich durch das Haus, drehte die Lichter

aus und sah nach, ob alle Türen abgeschlossen waren. Eines der hinteren Fenster ließ ich offen, damit Prickles rein und raus konnte.

Ich setzte mich auf mein neues Bett, stützte mich, Arme nach hinten, mit den Händen ab und ließ wie ein kleines Kind die Füße baumeln. Das hier war jetzt mein Zimmer, mein Zuhause – mein erstes Zuhause, das entfernt war von meinem richtigen Zuhause, wo meine Mutter war.

Ich war überzeugt, dass ich es schaffen würde. Es würde einfach sein. Ähnlich wie Babysitten, nur dass die Frau ruhiger war und ich nicht mit ihr würde spielen müssen.

Ich hatte mit einem neuen Job angefangen. Ich war erwachsen. Nur, ich fühlte mich nicht wie eine Erwachsene, ich meine, ich wusste ja das meiste – nicht *alles*, aber zum Beispiel wusste ich: Sollte mir jemand ein Pferd als Geschenk anbieten, würde ich ihm auf keinen Fall als Erstes ins Maul schauen. Wahrscheinlich würde ich eher die Arme in die Luft werfen und rufen: »Was soll ich denn, zum Teufel, damit anfangen?«

6

Mein erster Tag allein mit der Frau war total hektisch. Genau genommen war er eine Katastrophe. Ich wachte in einem fremden Bett in einem fremden Haus auf. Nach einem Blick auf die Uhr stellte ich fest, dass ich verschlafen hatte – das war ungewöhnlich, denn ich bin ein Morgenmensch. Schon als kleines Mädchen war ich aus dem Bett gehopst, kaum, dass ich die Augen aufgemacht hatte. Dann sprang ich herum und freute mich auf einen neuen aufregenden Tag.

Gewöhnlich mache ich immer schnell eine Runde durch das Haus, einfach um nachzusehen, ob sich in den vergangenen acht Stunden irgendetwas verändert hat. Und das ist gar nicht so albern, wie es vielleicht klingt, denn im Lauf meines Lebens ist es immerhin schon zweiundsiebzig Mal passiert, dass ein Mensch oder ein Wesen das Haus betreten hat, während ich schlief, und Geschenke oder Schokolade oder beides dagelassen hat. Das kriegt man nicht mit, wenn man nicht nachschaut.

Meine Mutter ist Holländerin, deshalb feiern wir sowohl Weihnachten wie Nikolaustag. Wir feiern auch eine ganze Reihe anderer Tage, die vielleicht ihren Ursprung in der Religion haben, die aber wohl eher Erfindungen meiner Mutter sind. »Blaubeertag« kommt mir in den Sinn. Am Blaubeertag tragen wir Blau und feiern die Blaubeere, indem wir Blaubeeren in endlosen Kombinationen essen: Blaubeeromeletts, Blaubeerkuchen und natürlich Fisch in Blaubeersauce – welcher Blaubeertag wäre komplett ohne Fisch in Blaubeersauce?

Von all den auf eine Obstsorte zurückgehenden Festen, die meine Mutter schon veranstaltet hat (Avocado-Wochenende, Limonentag, Mangowoche) ist der Blaubeertag das beständigste. Das einprägsamste war aber der Litschitag, den sie 1988 eingeführt hatte.

Dieses Fest war bemerkenwert aus zweierlei Gründen, einmal, weil ich an diesem Tag zum ersten und einzigen Mal nach meinem Vater gefragt habe. Die Reaktion meiner Mutter war so gewesen, dass ich sie nur als total untypisch beschreiben kann, sie war kalkweiß geworden und hatte dann hastig gesagt: »Das tut nichts zur Sache. Nimm doch noch eine Litschi.« Und dann ging sie daran, mir mit einem ungewöhnlichen Einsatz von Geschicklichkeit Litschis in den Mund zu stecken.

Der zweite Grund, warum der Litschitag bemerkenswert war, und, wie ich mir vorstellen könnte, der Hauptgrund, warum dieser Tag seitdem nicht mehr gefeiert wurde, ist der, dass sich schon früh am Tag herausgestellt hatte, dass Brody auf Litschis mit explosionsartigem Durchfall reagiert. (Dabei ist schon normaler Durchfall unangenehm genug!)

Später, am Litschiabend, ertappte ich meine Mutter, wie sie weinte. Als sie mich sah, wischte sie kurzerhand mit dem Handrücken über ihre Augen und strahlte mich an. Da kam mir zum ersten Mal der Gedanke, dass sie vielleicht doch nicht unbesiegbar war.

Jedenfalls habe ich nie eine der Mythologien angezweifelt, die sich um diese Bräuche ranken (und ich habe auch nicht noch einmal nach der zweiten Quelle meiner genetischen Zusammensetzung gefragt). Wenn Menschen oder andere Wesen Geschenke hinterlassen wollen, schön.

Ich springe also aus dem Bett. Keine Geschenke diesen Morgen, leider. Ich mache mir Kaffee und Toast, richte mich auf dem Sofa ein und sehe mir Cartoons an. Beim Cartoonglotzen tun mir immer die Augen weh. Ich vergesse zu blinzeln.

Nach ungefähr einer Stunde gehe ich in das Schlafzimmer der Frau. Sie sieht aus, als ob sie sich nicht so ganz wohl fühlt. Als ich ihr aufhelfe, sehe und rieche ich, dass sie ins Bett gemacht hat.

Wie eklig! Ich lege die Hände vor mein Gesicht, drehe mich im Kreis und überlege, was ich tun soll.

Ich bringe sie ins Bad, ziehe ihr die Sachen aus und setze sie in die Badewanne. Ich bemühe mich, ihren nackten Körper nicht anzusehen. Sie liegt in der Wanne und starrt zur Decke. Ich sehe im Badschrank nach und finde eine Flasche Badezusatz. Ich rühre im Wasser zwischen ihren Füßen, damit sich Schaum bildet und ihren Körper bedeckt.

Dann ziehe ich ihr Bett ab und stecke die Bettwäsche in die Waschmaschine. Auf ihrer Matratze ist eine Unterlage aus Kunststoff. Ich nehme sie mit den Fingern an den Ecken hoch, versuche, sie möglichst wenig zu berühren, trage sie in die Waschküche und tauche sie in eine Waschwanne.

Wäsche waschen ist zu Hause immer meine Aufgabe gewesen. Meine Mutter ist ein großer Fan von Arbeitsteilung. Ich war verantwortlich für alles, was sauber gemacht werden musste – Böden, Geschirr, Kleider, das Auto. Brodys Aufgabe war früher die Müllbeseitigung, aber weil er es nie zuverlässig erledigt hat, wurde seine Zuständigkeit auf Handlangerdienste reduziert.

»Brody, Liebling, du musst lernen, wie wichtig das Nächstliegende ist«, hatte meine Mutter gesagt, als sie ihn degradierte.

Ich trockne die Frau möglichst schnell ab, ziehe ihr einen Trainingsanzug an und führe sie zu ihrem Stuhl im Wohnzimmer.

Wahrscheinlich sollte ich ihr etwas zu essen geben. Ich suche in den Schränken und finde Haferflocken und eine Schüssel. Ich rühre Haferflocken und Milch zusammen, so dass die Haferflocken schön matschig sind, knie mich vor die Frau, löffel den Brei in ihren Mund und schabe nach jedem Bissen mit der Löffelkante über ihr Kinn.

Nach dem Frühstück nehme ich die Frau mit hinaus, um die Wäsche aufzuhängen.

Der hintere Garten hat ungefähr die doppelte Größe eines Grundstücks, wie es in den Vorstädten üblich ist. Der Fahnenmast ist ganz am anderen Ende. Ich kann so eben die metallene Spitze sehen, die hinter einer berankten Pergola aufragt.

Auf dem Weg zur Wäscheleine fällt die Frau hin und schürft sich das Knie auf. Prickles ist ihr vor die Füße gelaufen. Beim Fallen macht die Frau »Uuuhh«. Sie bleibt auf dem Hintern sitzen und betrachtet ihr Knie. Ich beobachte ihr Gesicht und warte, ob sich Schmerz darauf ausdrückt, aber sie scheint nicht überrascht, verstört oder verletzt.

Ich führe sie am Arm wieder ins Haus, um ihre Wunde zu untersuchen, begierig, meine Kenntnisse aus dem Erste-Hilfe-Kurs in die Tat umzusetzen. Ich überlege, ihr eine Beinschiene anzulegen, finde das aber dann doch übertrieben.

Ich sehe mir ihr Bein an, da merke ich mit zunehmendem Schreck, wie sich auf der Innenseite ihres Hosenbeins ein dunkler Fleck ausbreitet. Sie hat sich schon wieder nass gemacht.

Ich bugsiere sie also wieder in die Badewanne. Sie ist gerade in der Wanne, da klingelt das Telefon. Ich laufe aus dem Bad, und als ich abhebe, hört das Klingeln auf.

Ich bringe ihre Sachen aus dem Bad und stecke sie in die Waschmaschine. Ich weiß nicht, was ich ohne diese Waschmaschine tun würde.

Prickles folgt mir auf Schritt und Tritt und läuft laut miauend vor meinen Füßen herum. Ich setze ihn vor die Tür, aber nach zwei Sekunden habe ich ihn schon wieder zwischen den Füßen, weil ich das Fenster offen gelassen habe, damit er nach Lust und Laune rein und raus kann.

Ich schütte Trockenfutter in seinen Napf. Er beschnuppert es verächtlich, dann maunzt er mich wieder an. Ich angle also eine Dose stinkiges Katzenfutter aus dem Schrank, öffne es und kippe es in den stinkigen Napf. Prickles frisst es.

Ich durchstöbere die Schränke nach Bettwäsche. Im Wäscheschrank herrscht perfekte Ordnung. Manche Laken und Kissenbezüge sind noch in der Originalverpackung. Ein ganzes Fach ist voll mit Handtaschen.

Als ich das Bett der Frau frisch beziehe, fällt mir auf, dass ihre Bettwäsche aus dickem, weichem Stoff ist. Unsere Wäsche zu Hause ist dünner und viel rauer.

Ich höre das abschließende Surren der Waschmaschine und bringe die Wäsche in den Garten. Auf halbem Weg steht noch der erste Korb, weil ich wegen der Knieverletzung der Frau die Wäsche nicht aufhängen konnte. *Das ist alles zu viel, Toto.* Ich versuche also, zwei Wäschekörbe gleichzeitig zur Leine zu tragen.

In diesem Augenblick hatte ich die erste Begegnung mit meiner neuen Nachbarin. Als sie zu sprechen anfing, dachte ich, sie spräche eine fremde Sprache, und in gewisser Hinsicht stimmte das auch. Ich komme aus einer Familie, in der mit großer Exaktheit gesprochen wird (bis auf Oma natürlich, die über junge Männer sagt: »Sie jagen ihr Frettchen in die Röhre«, und die mit Arbeitern auf Baustellen herumgrölt – gewöhnlich beides gleichzeitig; Oma hat kein Schamgefühl).

Ich höre also eine Stimme von links.

»Hassewoll alle Hände voll su tun, Mächen?«

Ich sehe auf. Durch das Gebüsch kann ich die hintere Veranda des Nachbarhauses erkennen. Sie ist ungefähr einen Meter über der Erde. Vor einer Fliegenschutztür aus Aluminium steht eine Frau, rauchend, die eine Hand in die Hüfte gestemmt.

»Wie bitte?«, sage ich und runzle die Stirn.

Sie trägt ein »figurumschmeichelndes« Flanellnachthemd, zitronengelb, mit einer Art Rosenknospenmuster, und ich kann sie schon deshalb auf den ersten Blick nicht leiden.

Ich bin noch nie ein großer Fan von Nachthemden gewesen. Die Kernfrage, die ich noch lösen muss, ist folgende: Wie kommt man ins Bett, ohne dass das Nachthemd nach oben rutscht und sich um die Taille knäuelt? Ich habe schon zahllose Methoden ausprobiert einschließlich der, die Decken auf eine Seite zu schieben und mich von der anderen Seite her ins Bett zu rollen, aber die Rollerei hat eine Art Dreheffekt auf das Nachthemd, weshalb man das Geknäuel dann zwar nicht rund um den Körper hat, dafür aber der Länge nach. Meiner Erfahrung nach ist es unmöglich, mit glatt nach unten fallendem Nachthemd ins Bett zu kommen, ohne eine derart anstrengende Übung zu unternehmen, dass man hinterher hellwach und außer Atem ist.

Na gut, ich sehe ein, dass man innerhalb des eigenen Grundstücks das Recht haben muss, zu tragen, was einem gefällt, ohne abschätzig oder diskriminierend behandelt zu werden. Doch die Frau von nebenan musste das besagte Nachthemd zu irgendeinem Zeitpunkt ja gekauft haben, und es ist anzunehmen, dass dieser Kauf außerhalb der Grundstücksgrenzen vor sich ge-

gangen war. Wer kauft ein limonenfarbenes Nachthemd? Jedenfalls nicht die Sorte von Leuten, mit denen
ich voraussichtlich gut klarkomme!

»Hast wohl alle Hände voll zu tun, Mächen, hab ich
gesagt.«

»Ja. Schon.«

»Vonner Wäsche redch nich, Mächen.« Zwischen
den Sätzen macht sie einen Zug aus ihrer Zigarette und
spricht durch eine Rauchwolke. Die Original-Dra-
chenfrau – ha, ha.

Ich linse über die Wäscheberge auf meinen Armen.
»Ah?«

»Chmeindieda.«

»Chmeindieda?«

»Ey!« Sie zeigt mit ihrer Zigarette in Richtung Haus.
»Ey, bisse taub?«

»Ach, Sie meinen sie?«

»Genau, Mächen, sie. MachnHaufnAweit, wa?«

Während unserer Unterhaltung übersetze ich in Gedanken: *Macht einen Haufen Arbeit*. Ich kann also immer nur mit ein paar Sekunden Verspätung antworten.

»Nein, eigentlich nicht.«

Sie macht einen langen Zug. »Na, wirsenich lang
drauf watn müssen, wenneweißwas'chmein!«

»Wie bitte? Ach so! Wenn-du-weißt-was-ich-meine.«

»Was?«

»Sie haben gesagt ›wenn du weißt, was ich meine‹.«

»Hä?« Sie legt den Kopf schief und macht wieder
einen Zug. »Hassewollnichalle, wa?«

»Hassewollnichalle? Was?«

»Herrgottnochmal! Zwei vonnerselben Sorte! Eine wie de annere!«

»Ich bin die Pflegerin.«

»Was?«

Crrck, bist du auf Empfang, gelbe Nachthemdfrau? Over, crrck.

»Pflegerin, verstehen Sie? Ich kümmere mich um sie.«

»Wie alt bissedenn? Zwölf? Scheißentscheidung, wenne mich fragst, Mächen.«

Damit schnipst sie ihre Zigarette in den Garten, spuckt aus, geht zurück in ihr Haus und knallt die Fliegenschutztür hinter sich zu.

Hey, das habe ich verstanden!

Reizend.

Ich schleppe die Körbe zur Wäscheleine und hänge Kleidung und Bettwäsche auf. Ich summe vor mich hin. Irgendetwas bohrt in meinem Hinterkopf. Wahrscheinlich habe ich Hunger.

Es ist Mittagszeit, deshalb mache ich mir ein Sandwich. Ich suche im Kühlschrank nach den gängigen Zutaten. Da gibt es einmal verschiedene Sorten Senf: Senf mit Estragon, Senf mit Honig, Senf mit rotem Pfeffer. Außerdem Gelee: Rosmaringelee, Thymiangelee, Gelee aus roten Johannisbeeren. Dann ist da etwas mit Namen Nasigoreng. Ich schnuppere kurz daran und komme zu dem Schluss, dass es für ein Sandwich eher nicht geeignet ist.

Es gibt auch etliche Sorten von getrocknetem Gemüse: getrocknete Tomaten, getrocknete Peperoni, getrocknete Aubergine. Außerdem ein paar Gläser Tapenade. Was um Himmels willen ist Tapenade? Wo ist das Vegemite?

Ich nehme ein Glas Honig mit Muskatnuss. Was ist eigentlich gegen ganz gewöhnlichen cremigen Honig einzuwenden? Ich streiche den Muskathonig auf das Brot und schneide es in kleine Dreiecke – die Macht der Gewohnheit.

Ich setze mich auf die Hintertreppe und esse mein Brot. In meinem Kopf bohrt und bohrt etwas. Was nur?

Nach dem Essen setze ich mich auf das Sofa, ich bin vollkommen fertig. Ich nehme mir eine Zeitschrift vom Tisch und lese eine Weile. Ich habe zwei Maschinen Wäsche gewaschen, ich bin total geschafft. Schließlich wird es Zeit, die Sachen wieder hereinzuholen. Schnell, bevor ich die gelbe Nachthemdfrau noch einmal treffe.

Ich stehe vor der Wäscheleine und singe ein Liedchen.

Die Frau! Ich habe die Frau in der Badewanne vergessen!

Ich laufe ins Haus und ins Bad. Sie liegt in der Wanne. Die Schaumblasen sind längst verschwunden. Das meiste Wasser ist schon abgelaufen. Sie liegt da, die Hände ordentlich über dem Bauch gefaltet. Ihre Lippen sind blau, die Haut an Händen und Füßen gerunzelt. Ihre blauen Adern scheinen wie kleine Ranken durch die weiße Haut ihrer Brüste. Ihr nasses Haar liegt in dünnen Strähnen um ihren Hals und ihre Wangen. Sie sieht tot aus.

Ich habe sie umgebracht. Mein erster Tag und ich habe sie umgebracht.

Mich überkommt dieses kalte, lähmende Gefühl, das man hat, wenn man einen Horrorfilm sieht und weiß, dass gleich etwas total Schauriges passieren wird, und trotzdem kann man nicht wegschauen. Nur, dass das hier kein wohliges Grauen war, es war Wirklichkeit.

Ich habe sie umgebracht. Ich bin eine Mörderin. Was tut man, wenn man jemanden umgebracht hat? Ruft man erst die Polizei oder erst den Notarzt?

Da gleiten ihre Augen in meine Richtung, ohne zu blinzeln, kalt und trocken wie Eidechsenaugen. Einen Augenblick bleibt ihr Blick an meinem hängen, ihre Eidechsenaugen bohren sich durch mich hindurch, klagen mich an.

Mein Gott, sie ist lebendig.

Sie sieht mich an wie ein richtiger Mensch und doch nicht wie ein Mensch. Ihre Augen sind auf mich gerichtet, aber da ist nichts. Oder doch? Ich habe Angst vor ihr.

Ich halte die Luft an. Angst lässt mir das Blut in den Adern gefrieren. Ich bin starr vor Schreck. Das Herz pocht mir in den Ohren. Dann rutschen ihre Augen wieder weg.

Laut lasse ich die angehaltene Luft ausströmen und setze mich mit einem Ruck in Bewegung, ich nehme sie am Arm und ziehe sie aus der Badewanne. Ich wickle sie in das Handtuch, klopfe und knete darauf herum und trockne sie so schnell wie möglich ab.

Sie fröstelt in ihrem Badetuch.

»Entschuldigung«, sage ich zu ihr und reibe ihr die Schultern unter dem Frotteestoff. »Ich habe es vergessen. Es wird nicht noch einmal vorkommen.«

Sie steht mit klappernden Zähnen da und hält mit einer runzligen Hand das Badetuch unter ihrem Kinn zusammen.

7

Am Nachmittag kam die Krankenschwester zur Physiotherapie. Sie ist eine dieser abgebrühten Australierinnen. Rauchend kommt sie hier an! Ist das zu glauben? Ich meine, wenn man Krankenschwester ist, muss man doch wer weiß wie viele Leute gesehen haben, die kleine schwarze, klebrige Lungenfetzen aushusten!

Die Schwester ist dürr und groß und hat lange Streichholzbeine. Sie heißt Jan, hat dünne Lippen und kurzes, lockiges Haar. Sie nennt mich »Darl«.

Ich gehe zur Uni. Bis das erste Semester beginnt, habe ich noch vier Tage Zeit.

Der Weg zur Uni ist ein angenehmer Spaziergang durch den Park, danach kommt eine kurze Busfahrt. Als ich das Gelände betrete, bin ich vollkommen verwirrt. Überall hohe Gebäude und niedrige Häuser, dazwischen Bäume. Zum Verlaufen weit ist das alles. Leute schlendern umher, sie wirken entspannt, so, als ob sie sich hier wohl fühlten. Ich gehe schnell, damit ich aussehe, als wüsste ich, wohin.

Ich finde die Bibliothek und einige meiner Vorlesungssäle. Säle – genau so sehen sie aus, Reihen und Reihen und Reihen von Stühlen wie im Theater.

Ich setze mich auf einen der Stühle im leeren Vorlesungssaal. Das werde ich jetzt immer tun. Ich werde hierher gehen. Keine Schule mehr. Nie mehr nach Hause kommen und Ponchos aus Zeitungspapier sehen.

Mein Leben hat sich geändert. Ich habe wichtige Entscheidungen getroffen und sie mit sehr wenig Mühe umgesetzt. Es scheint mir zu einfach.

Und was kommt danach? Ich werde vermutlich eine Stelle bekommen. Eine neue Chance wird mir in den Schoß fallen, und ich werde sie ergreifen. Nicht lange und ich bin dreißig. Die Sonne wird weiterhin auf- und untergehen. Weihnachten wird kommen und gehen, wieder und wieder, und dann werde ich tot sein.

Ich schaue über die leeren Stühle im Vorlesungssaal und auf einmal kommt mir dieses ganze Leben ziemlich sinnlos vor.

Ich glaube, ich mache gerade eine Krise durch. Eine Quarterlife-Crisis.

Als ich nach Hause kam, war Mr Preston da und Jan, die Krankenschwester, gegangen. Ich fragte ihn, auf welche Art von Veränderungen ich bei Grace achten solle.

Was, wenn ich sie, mal angenommen, den halben Tag im kalten Badewasser sitzen lasse und dann feststelle, dass sie mich wie ein Zombie anstarrt?

»Ich weiß nicht, worauf genau ich achten soll«, sage ich.

»Nun, wir wollen uns nicht vormachen, dass Grace eines Morgens aufwachen und wieder so sein wird wie früher. Wir haben es mit einer sehr ernsten Verletzung zu tun.«

Empfinde ich etwa Erleichterung?

»Die Fähigkeit des menschlichen Körpers zur Heilung ist erstaunlich. Ich meine, selbst die Ärzte können uns nicht sagen, wie viel sie denkt oder hört. Trotzdem kann Leben in ihr sein. Ich bin überzeugt, dass Grace darum kämpft, sich bemerkbar zu machen. Wenn es einen Weg heraus gibt, wird Grace ihn finden. Sie kann sehr hartnäckig sein, glauben Sie mir.«

Mr Preston lächelte. Er legte den Kopf schief und sah versonnen vor sich hin. »Wissen Sie, ich war schon manches Mal hier und habe mich mit ihr unterhalten, und ich habe das Gefühl, dass sie mir zuhört. Sie dreht vielleicht den Kopf oder bewegt ein kleines bisschen ihre Hand. Und dann denke ich, das kommt vielleicht nur, weil ich mir so sehr wünsche, dass sie mir zuhört.«

Starrt Grace Sie an? So, dass Sie Zustände kriegen?

Er holt tief Luft. »Wie auch immer, ich bin hergekommen, um Ihnen das hier zu bringen.« Mr Preston stellt einen Anrufbeantworter auf den Tisch. »Ich habe heute Morgen versucht anzurufen, aber niemand hat abgenommen.«

Ich lächelte schwach.

»Außerdem wollte ich Ihnen gern etwas über ihre Vorlieben und Abneigungen sagen. Sie kann die Nachbarn von nebenan nicht leiden, aber den Hund mag sie. Sie liebt ihre Katze. Sie trinkt gern frisch gebrühten Kaffee, keinen Instantkaffee. Sie mag Butter, keine Margarine. Sie mag Tomaten, aber keine Gurken. Sie isst gern Suppe, frisch gekocht, keine Konserve. Thunfisch mag sie nicht, aber Lachs isst sie gern. Frisch, nicht aus der Dose.«

Hoppla, denke ich. Was hat denn das zu bedeuten? Lachs! Sonst noch was? Ich stelle mich doch nicht in die Küche für diese Frau! Das tu ich ja nicht mal für mich selbst! Und was kommt als Nächstes? Pochierte Wachteleier?

»Ich werde ihr keinen Lachs braten.«

»Das ist sehr schade«, sagte Mr Preston. »Sie ist ein großer Fan von Lachs.«

»Hören Sie, kann sie nicht einfach essen, was ich esse?«

»Das kommt darauf an, was Sie essen.«

Am Ende mache ich also eine Liste der Dinge, die die Frau mag beziehungsweise nicht mag. Ich kann nur sagen, mit pochierten Wachteleiern lag ich gar nicht so weit daneben. Sie ist eine Frau mit einem erlesenen Geschmack. Nichts aus der Dose – vor allem nicht Spargel. Was für ein Jammer.

Ich persönlich halte Dosengerichte für das Größte, auch alle »Fertiggerichte aus der Tüte«. Die kann man jederzeit auf einen großen Teller türmen und das Ganze »moderne australische Küche« nennen.

»Was hält sie von Toast mit Erdnussbutter?«, frage ich.

»Dazu habe ich ihre Meinung nie gehört. Aber so, wie ich sie kenne, kann ich wohl behaupten, dass sie Pastete vorziehen würde, wenn sie die Wahl hätte.«

Großartig. Das hat mir noch gefehlt.

»Sie wissen anscheinend eine ganze Menge über den

Geschmack Ihrer Klienten.« Es kommt ein bisschen spitz heraus, aber schließlich war in der Arbeitsplatzbeschreibung nie die Rede von Koch.

In meiner Vorstellung sehe ich mich schon, wie ich versuche, Finan hadi zuzubereiten, wie ich dabei weine und *Somewhere Over the Rainbow* singe und wie ich Prickles anschaue und sage: »Das ist alles zu viel, Toto.«

Mr Preston lächelt mir zu und macht wieder ein trauriges Gesicht. »Grace ist mehr als eine Klientin. Sie ist auch eine liebe, teure Freundin.«

Das ist alles gut und schön, aber nachts im Bett, allein, muss ich mich sehr ermahnen, dass sie eine liebe, teure Freundin ist und nicht ein Monster.

Als ich jünger war, schlief ich in einem Zimmer mit meinem kleinen Bruder Brody. Wir hatten Stockbetten. Er lachte immer im Schaf. Aus heutiger Sicht würde ich behaupten, dass er einfach ein fröhliches Kind war, das fröhliche Träume hatte, aber damals war mir das etwas sehr Unheimliches. Er hat immer so ein schauriges, gurgelndes Geräusch dabei gemacht. Es war irre.

Damals lag ich im Bett, eiskalt vor Angst, und starrte mit aufgerissenen Augen auf die Matratzenleisten über mir. Ich war felsenfest davon überzeugt, dass nicht mehr mein Bruder da oben im Bett lag, sondern ein böser Kobold, der dort lauerte und über böse Koboldsachen lachte.

Und heute Nacht liege ich stocksteif im Bett und spitze die Ohren, wie ich es früher tat, als ich mit Brody in einem Zimmer geschlafen habe. Ich höre ein dumpfes Geräusch aus dem Wohnzimmer, und meine Muskeln spannen sich. Es ist natürlich nur die Katze, die vom Fensterbrett gesprungen ist.

In Gedanken sehe ich immer wieder die Eidechsenaugen der Frau. Sie gleiten in meine Richtung, kommen näher und näher. In meiner Vorstellung heften sich ihre toten Augen auf mich und ich höre sie sprechen.

Du hast mich hier sitzen lassen, damit ich ertrinke.

Nachts, wenn ich allein bin, ist sie ein Zombie – lebendig, aber innerlich tot.

Der Fußboden in dem alten Haus knarrt. Ein Ast streift langsam über das Dach der Veranda hin und her. Das Haus ist alt, und ich überlege, ob in diesem Zimmer schon einmal jemand gestorben ist.

Aber warum sich um alte Gespenster sorgen, wenn ein noch sehr lebendiges im Zimmer nebenan ist?

In meinem Zimmer hier ist es nicht vollkommen dunkel. Das Licht der Straßenlaternen, das von den sich bewegenden Blättern der Bäume gedämpft wird, macht aus den Möbeln unentwirrbare Umrisse und Schattenmuster. Ich stelle mir vor, wie sie in der Tür zu meinem Zimmer steht – matte Augen in einem weißen Gesicht, feuchte, hängende Lippen.

Ich stehe auf und schiebe die inzwischen chaotisch aussehende Frisierkommode vor die Tür.

8

Ich wache auf, sehe die Frisierkommode quer vor der Tür stehen und komme mir absolut idiotisch vor. Wo ich die Kommode gerückt habe, sind Kratzer auf dem Boden.

Grace, die Frau, liegt in ihrem Bett und sieht ungefähr so feindselig aus wie jedes schlappohrige Durchschnittshäschen.

Ich bin eine dumme Gans.

Es gelingt mir, sie rechtzeitig zur Toilette zu bringen und so den gestrigen Kreislauf von Bettabziehen und Wäschewaschen zu vermeiden. Ich muss einkaufen, also ziehe ich die Frau an, und wir zockeln die Straße hinunter.

Ich halte die Frau am Ärmel fest. Sie geht sehr langsam, und ich muss immer wieder an ihrem Arm ziehen, damit sie weitergeht.

Es ist heiß für Ende Februar, heiß und feucht. Die Sonne strahlt wie ein Scheinwerfer durch das Loch in der Ozonschicht. Ich spüre geradezu, wie meine Haut sanft gegrillt wird.

Während ich die Straße entlanggehe, versuche ich zu erkennen, welche der Häuser vermietet sind und welche nicht. Ist der Rasen im Vorgarten mehr als kniehoch, ist das Grundstück vermietet, denke ich. Auf der anderen Straßenseite entdecke ich eine Oma, die mit einem großen Spaten energisch auf eine lange Ranke losgeht, die vom Nachbargarten her durch ihren Zaun gekrochen ist.

Auf fast jeder zweiten Veranda sind Katzen. Die Gegend hier ist sehr katzenfreundlich. Sie liegen da, die Pfoten ordentlich unter die Brust gesteckt. Schwärme von Staren kreischen aus den umliegenden Bäumen auf sie herab. Man kann die Pupillen der Katzenaugen sehen, sie dehnen sich aus und ziehen sich zusammen wie Visiere.

Stare sind die Platzhirsche der Vogelwelt. Sie sitzen in den Bäumen, und man kann hören, wie sie in Vogelsprache sagen: »He! Was hast'n vor, Mann? Soll ich dir mal was sagen? Bring bloß nich meine Clique durch'nander, sons kriegste'n Tritt in Arsch, kapiert?« Einheimische Vögel gibt es hier keine, die Stare haben mit ihrer Bandengewalt längst alle verjagt.

Ich muss zum Gemüseladen und ins Feinkostgeschäft, um all die dringend erforderlichen Sachen für die tägliche Gourmetküche der Frau zu kaufen. *Das ist alles zu viel, Toto.*

Die Italienerin im Feinkostgeschäft sagt unter ständigem Lächeln und mit starkem Akzent: »Gutten Morrgen, Kleines, kann ick dirr helfen?« Ich antworte: »Nein danke, ich will mich nur vorsehen.« Ich meine natürlich »umsehen«, aber die Verkäuferin ist so freundlich, die Sache nicht weiter zu vertiefen.

Ich sehe mich also um und stelle fest, dass Blaubeeren im Sonderangebot sind. Ein ganzer Karton kostet neun Dollar. Wenn ich eine Familie versorgen müsste und nicht viel Geld hätte, so überlege ich, könnte ich immer eine ganze Kiste von dem kaufen, was gerade im Angebot wäre, und so tun, als würde ich für eine Party einkaufen. Ich bin noch nie auf den Gedanken gekommen, wir könnten arm sein. Vielleicht sind wir arm? Ich muss lächeln. Mutter hat uns nie das Gefühl gegeben, arm zu sein.

Die Hauptstraße ist große Klasse. Überall an den Straßenecken stehen kleine Grüppchen von alten Italienern, die energisch mit den Armen gestikulieren. Dieser Vorort hier ist wie ein Altersruhesitz für pensionierte Mafiosi.

Es gibt aber auch geschniegelte Mittzwanziger, die in gestärkten weißen Hemden und mit dunklen Brillen in Straßencafés sitzen, Latte trinken und in ihre Handys sprechen. Dann sind da Naturfreaks, die in hauchdünnen Batikstoffen herumlaufen und dabei an unbequem aussehenden Lippenringen knabbern. Und da sind schwitzende Grufties. Es ist zu heiß für Grufties, um draußen unterwegs zu sein, aber selbst sie müssen manchmal Lebensmittel einkaufen.

Jeder hier trägt ein bestimmtes Kostüm. Es ist eine Modenschau. Das ist sehr anders als bei uns zu Hause, wo alle grau in grau gekleidet sind, ob Anzug, Kostüm oder Overall. Bei uns zu Hause ist jeder krampfhaft darum bemüht, in den allgemein geltenden Rahmen zu passen.

Ich komme aus einem kleinen Ort, in dem jeder so sein will wie alle. Jeder versucht, so zu denken wie alle.

Man tut sich zusammen in grimmiger Solidarität. Man sichert sich ab durch Gleichheit. Und jetzt bin ich also hier, wo alle geschlossen ihre Unterschiedlichkeit demonstrieren – »Wir unterscheiden uns voneinander«, rufen alle gemeinsam.

Oder vielleicht sind sie alle katzenfreundlich? »Wir kommen aus den verschiedensten Ländern rund um den Globus, wir unterscheiden uns im Alter und wir haben unterschiedliche Religionen, ABER wir haben uns alle für ein Leben mit Katzen entschieden. Beim Thema Katze sind wir uns einig!«

Als ich mit der Frau an einem Immobilienbüro vorbeischlurfe, kommt im selben Augenblick meine Freundin Amanda heraus. Wir waren in der Schule ganz gute Freundinnen, aber ich habe sie schon seit Monaten nicht mehr gesehen. Wir sind Nachbarschafts-Freundinnen. Unsere Gespräche drehen sich hauptsächlich um unseren gemeinsamen Wohnort. Darüber hinaus ist Amanda ein Rosellasittich, und ich als Sperling begreife ihre Welt nicht annähernd.

Sie beugt sich vor, um mich zu umarmen, aber ich bin nicht der Typ, der jeden gleich umarmt, deshalb weiche ich aus. Sie fasst mich an den Oberarmen, drückt und schüttelt mich und lächelt. Wir spüren den unangenehmen Moment des Körperkontakts. Eben deshalb bin ich kein Fan von Umarmungen.

Amanda heiratet demnächst. Beim Reden wirft sie Grace immer wieder einen Blick zu, als wolle sie sie in die Unterhaltung einbeziehen.

Amanda wird Bozza heiraten, den Neandertaler, den

Fliesenleger. Sie klingt sehr selbstgefällig, aber ich kann mir nicht denken, welchen Grund sie haben könnte, selbstgefällig zu sein. Sie schwenkt ihre linke Hand vor meinem Gesicht, zeigt mir ihren Verlobungsring und lächelt kokett.

»Hast du immer noch keinen Freund?«, sagt sie mit größtem Bedauern. Ich warte fast darauf, dass sie sagt: *Weißt du, es gibt ja haufenweise Fische im Meer* oder sonst ein schwachsinniges Klischee. Sie hält Heiraten für das höchste Ziel, und sie geht davon aus, dass ich das auch so sehe.

Ich beschließe, mich nicht aus der Fassung bringen zu lassen. Im Grunde genommen tut mir Amanda Leid, weil sie Bozza heiratet. Sein richtiger Name ist Rick, aber alle nennen ihn Bozza. Bozza ist der Name eines Mannes mit einer glänzenden Zukunft. In der Geschichte wimmelt es von großen Bozzas – Sir Bozza, General Bozza, König Bozza der Prächtige.

Amanda war schon immer ein sehr hübsches Mädchen. Sie hat langes blondes Haar und olivenfarbene Haut, und wenn sie rot wird, breitet sich ein reizender, sanfter Pfirsichschimmer über ihre Wangen (nicht wie das kräftige, grellrot schillernde Strahlen von der Stärke eines Leuchtturmscheinwerfers, wie mein Mondgesicht es aussendet).

Sie ist auch klug. Ich dachte immer, sie würde über Bozza hinwegkommen und Karriere machen. Ich dachte, sie würde einmal mit einem düster und vergeistigt wirkenden Anzugmann in Straßencafés sitzen und Milchkaffee trinken.

Ich konnte nie begreifen, warum sie »Bozza« eigentlich mochte. Ich meine, im neunten Jahrgang sah er noch ganz gut aus, aber jetzt, wo er älter wird, hat er zugenommen, und sein finsterer, kühler Blick passt nicht unbedingt zu seinen Hängebacken. Und besonders intelligent ist er auch nicht.

Ich denke, wo Frauen versuchen, sich einen Mann zu angeln und »herzurichten«, läuft das folgendermaßen ab:

Sie treiben irgendeinen Flegel auf und sagen: »Aber im Innersten ist er richtig süß.« Sie versuchen, sich einen Mann zurechtzubasteln, so wie man ein Haus herrichtet. Sie finden etwas Geeignetes – der Traum jedes Heimwerkers ist natürlich ein Haus mit Blick aufs Meer – und machen sich ans Renovieren.

Ich bin achtzehn und weiß alles – na ja, nicht *alles*, aber ich weiß zum Beispiel, dass Leoparden ihre Flecken nicht auf Kommando gegen ein anderes Muster tauschen. Sie hüllen sich vielleicht in ein schönes Tuch mit Schottenkaro, wenn man ihnen zusetzt, aber für ein ernst gemeintes Ummodeln der Flecken braucht der betreffende Leopard den eigenen Wunsch und Willenskraft.

Amanda ist eindeutig eine dieser Heimwerkerinnen geworden, aber viel verändert hat sie noch nicht. Anders ist nur, dass sie ihn nicht mehr »Bozza« nennt, sie nennt ihn nicht einmal »Rick«. Jetzt nennt sie ihn »Richard«. Es ist, als ob man eine Blechhütte mit Farbe überzieht und sie »Blockhütte« nennt.

Es stellt sich heraus, dass ich nicht die Einzige bin, die ihr Gesicht himbeerrot strahlen lassen kann. Grace, die Frau, hat sich heute einen Sonnenbrand eingefangen. Nächstes Mal muss ich daran denken, sie mit Sonnenschutzcreme einzureiben, bevor wir rausgehen. Ich schmiere Aloe Vera in ihr Gesicht. Sie sitzt in ihrem Lehnstuhl und ihr Kopf sieht aus, wie ein leuchtend roter Ball.

Auf dem Anrufbeantworter blinkt das rote Licht und ich höre die Nachricht ab.

»Gracey, hier ist Yvonne. Es ist ewig her, ich weiß. Man schiebt solche Dinge immer auf, und bevor man es recht gemerkt hat, ist so viel Zeit vergangen, dass man sich nicht mehr zum Telefonieren aufrappeln kann. Ich ahne, dass du böse bist, denn ich habe nicht mal eine Weihnachtskarte von dir bekommen. Du darfst aber nicht böse sein, denn du hast ja auch nicht angerufen. Ich bin jetzt die Mutige gewesen. Nun bist du an der Reihe. Bitte ruf mich an.«

Vermutlich weiß diese Yvonne nicht, was passiert ist. Ich drücke auf »Löschen«.

Ich schaue flüchtig die CDs der Frau durch und lege dann eine mit coolem Jazz auf. Auf den meisten CDs ist »Kaffeejazz«. Ob sie früher in diesen Straßencafés gefrühstückt hat?

Ich ziehe ein weißes Hemd an und trage roten Lippenstift auf, so passt mein Outfit zur Musik. Für einen Augenblick komme ich mir sogar funky vor.

Ich koche Nudeln und streue geriebenen Parmesan darüber. Die Portion der Frau verrühre ich mit einer

Gabel, dann hocke ich mich vor ihren Stuhl und füttere sie. Sie kaut mit offenem Mund und schaut dabei ausdruckslos über meine Schulter. Ich sehe, wie sich Nudelpampe in ihren Mundwinkeln sammelt. Ich beobachte angeekelt und fasziniert, wie sie das Essen im Mund hin- und her wälzt. Ich gebe ihr einen Schluck zu trinken, und sie hält das Glas mit beiden Händen wie ein Kind. Ich nehme es ihr wieder ab und versuche, nicht an den schmierigen Parmesanfleck zu kommen, der am Rand zurückgeblieben ist.

Ich türme mir Nudeln auf einen großen weißen Teller und esse draußen (MAK im Freien, Darling).

Ich setze mich auf die schöne Terrasse hinter dem Haus, die vollständig gepflastert ist. Hier stehen Terrakottatöpfe mit Kräutern und kleinen Obstbäumen. An der Mauer neben einem kleinen Teich gibt es einen Springbrunnen mit einem Löwenkopf. Unter Rankpflanzen finde ich einen Wasserhahn, ich drehe ihn auf und das Wasser läuft aus dem Löwenmaul.

Es ist sehr angenehm, bei Sonnenuntergang hier zu sitzen, die Jazzmusik und das Wasserplätschern zu hören.

Es ist angenehm, bis die Nachbarn zu streiten anfangen. Flüche wehen herüber. Ich gehe wieder ins Haus und setze mich lieber vor den Fernseher.

Eine halbe Stunde später höre ich draußen Lärm. Ich ziehe den Vorhang zur Seite und sehe gerade noch, wie der Typ von nebenan seinen Hund mit Fußtritten traktiert. Der Hund rutscht auf allen vieren über den Rasen und macht sich dann jaulend durch den Garten davon.

Ah, sie sind also Hundeleute. Sie haben sich nicht dem Rest der Nachbarschaft angeschlossen, was die Katzenfrage angeht.

Ich sehe die Ratlosigkeit in den kleinen braunen Hundeaugen, die unter dem Oleanderbusch hervorblinzeln, und ich spüre, wie heiße Wut in mir aufsteigt. Ich kann Leute, die Tiere quälen, nicht ausstehen.

Der Kerl von nebenan dreht sich um und sieht, dass ich ihn beobachte. Er zeigt mir den Stinkefinger, dann marschiert er ins Haus zurück.

Reizend.

Bevor ich ins Bett gehe, ziehe ich wieder den unordentlichen Ordnungshüter vor die Tür. Ich rede mir ein, ich tue es, um wach zu werden, falls sie in mein Zimmer kommen will. Aber das ist eine Lüge.

Ich liege im Dunkeln und stelle mir vor, wie sie sich über die Frisierkommode hangelt, wie sie mit ihren starren Eidechsenaugen auf mich zukommt. Aber noch schlimmer ist wohl, dass ich mir das überhaupt vorstelle. Das ist gehässig, das ist vorsätzlich, das hat sie nicht verdient. Ich habe ein schlechtes Gewissen, aber es ist nicht schlecht genug, um die Frisierkommode wieder an ihren Platz zu schieben.

9

Heute ist Mr Preston mit der Frau zum Einkaufen gegangen, so dass ich zur Uni fahren und Bücher und andere Sachen besorgen kann.

Gerade, als ich weggehen wollte, rief meine Mutter
an.

»Mum, sind wir arm?«

Sie schwieg einen Augenblick. »Warum fragst du
das?«

»Na ja, ich habe noch nie richtig über Lebensmittel
nachgedacht«, sagte ich. »Aber jetzt muss ich einkaufen gehen, und deshalb weiß ich, wie teuer die Sachen
sind, und ich habe Blaubeeren im Sonderangebot gesehen.«

Ich spürte, dass sie ihre Worte sorgfältig wählte.
»Kann sein, dass wir nicht so finanzkräftig sind wie
andere. Ich war schon mal besser dran, aber die Dinge
ändern sich und man ändert sich mit ihnen. Ihr habt
immer ein Dach über dem Kopf und Essen im Bauch
gehabt. Ich habe immer dafür gesorgt, dass ihr fröhliche, gesunde Kinder wart. Man tut sein Bestes und
mehr kann keiner verlangen.«

»Oh«, sagte ich. Sie fühlte sich angegriffen, das hatte ich nicht gewollt.

»Außerdem haben Reichtum und Erfolg immer etwas mit den Zielen zu tun, die man sich steckt. Mein Ziel ist es, dass ihr beide zufrieden seid und dass ihr lernt, alle Möglichkeiten für euch zu nutzen. Ihr seid zufrieden, und ihr nutzt eure Möglichkeiten, also war ich erfolgreich. So.«

Nimm noch eine Litschi.

Bücher für das Studium einzukaufen ist eine sehr bedrückende Erfahrung. Nicht nur muss ich alles ausgeben, was ich über Weihnachten gespart habe, ich weiß außerdem, dass ich alles aus diesen Büchern in den nächsten vierzehn Wochen »aufsaugen« muss.

Als ich nach Hause kam, knallte ich die Bücher auf meinen Tisch. Ich konnte Mr Preston im Wohnzimmer hören, der zu einem Song von Ella Fitzgerald und Louis Armstrong sang.

Mr Preston tanzte mit Grace.

Will it be just as sweet again,
The glamour, the glory that we know,
Will I find when we meet again,
The glamour, the glory still aglow.

Mr Preston tanzte durchs Wohnzimmer. Für einen so kräftigen Mann bewegte er sich sehr leichtfüßig. Ich setzte mich auf das Sofa, um ihnen zuzusehen. Grace starrte mit leerem Blick auf Mr Prestons Brust, eine Hand lag auf seiner Schulter. Ich schaute auf ihre Füße. Manchmal hob er Grace vom Boden hoch und drehte sie herum. Ich meinte zu sehen, wie ihre Füße sich bewegten, wie sie schon die Schritte erwarteten, die Mr Preston gleich machen würde.

Mr Preston sang laut und falsch, aber er war sehr fürsorglich zu Grace, führte sie behutsam und hob sie ein wenig an, wenn sie einen Schritt verfehlte. Sie sah sehr klein aus in seinen Armen.

Sie hatte glänzend rote Lackschuhe an mit breiten Kappen und Keilabsätzen. Schöne Schuhe.

Als der Tanz zu Ende war, klatschte ich, und Mr Preston verbeugte sich. »Danke sehr, meine Liebe. Sie sehen, unsere Grace ist eine recht gute Tänzerin.«

Sachte führte er Grace zu ihrem Stuhl und setzte sie hinein. »Tanzen ist die beste Möglichkeit, um neue Schuhe einzulaufen, sage ich immer.«

»Es sind schöne Schuhe.«

»Ja. Grace hat immer gern schöne Schuhe gehabt, nicht wahr, meine Liebe?«

Er strahlte mich an. »Ein Glas Wein?«

Ich ging in die Küche und holte zwei Weingläser, während Mr Preston eine Weinflasche öffnete.

»Möchten Sie keinen?«, fragte Mr Preston hinter mir.

Ich drehte mich zu ihm um. Er lächelte mir zu. Er hatte beide Gläser in der Hand. Ich war verwirrt. »Ist nicht eins davon für mich?«

»Nein, das hier ist für Grace.«

»Sie werden ihr doch keinen Alkohol geben!«

»Warum nicht?«

Weil sie sich nicht unter Kontrolle hat. Weil sie uns völlig ausgeliefert ist. Weil sie keine Wahl hat. Es ist, als ob man einem Baby Wein zu trinken gibt.

»Das ist bestimmt nicht gut für sie.«

Er gab mir eines der Gläser. »Probieren Sie.«

Ich nippte.

Stirnrunzelnd sah er mich an. »Es ist ein sehr guter Wein.«

Ich habe wirklich keine Ahnung von Wein, aber der hier war mir sympathisch. Er hatte irgendwie einen leichten Buttergeschmack. »Ja, er ist sehr gut«, pflichtete ich bei und hoffte, es würde sich anhören, als wüsste ich, wovon ich sprach.

»Was für ein schreckliches Verbrechen hat sie begangen?«, fragte Mr Preston.

»Wie bitte?«

»Ich frage, was für ein schreckliches Verbrechen Grace begangen hat, dass sie in alle Ewigkeit dazu verdammt sein soll, nie mehr einen auserlesenen Wein zu kosten?« Er sah mich einen Moment lang an, dann nahm er mir das Glas aus der Hand und brachte es Grace, die vornübergebeugt in ihrem Stuhl saß und auf ihre neuen Schuhe blickte.

»Du weißt, ich halte dich für den temperamentvollsten, klügsten und aufregendsten Menschen, den ich je kennen gelernt habe.«

Ich drehte mich heftig herum und schlug die Schranktür zu. Wenn er glaubte, hier ginge so was wie ein Sean Connery/Michael Douglas-Stück ab, dann irrte er gewaltig. Er – er kannte mich nicht einmal!

Gerade wollte ich den Mund aufmachen und ihm das sagen, da merkte ich, dass er mit Grace sprach.

»Seit ich dich kenne, hast du dich immer für die besten und feinsten Dinge entschieden. Ich habe dich viele Jahre beobachtet. Immer hattest du eine Vorliebe für gute und schöne Dinge: für cremigen Camembert, kühle leichte Baumwolle, köstliche, dunkle Schokolade, weiche Wolle. Was du aber immer am meisten genossen hast, das war ein kräftiger trockener Weißwein.

Du hast in diesem Stuhl gesessen oder draußen auf der Veranda, einen Fuß untergeschlagen, und hast ein Glas Wein getrunken. Hast immer nur kleine Schlucke genommen, jeden über Zunge und Gaumen gerollt und dem Wein nachgeschmeckt; du hast Geschichten erzählt, diese Musik gehört, gelacht oder einfach nur zugesehen, wie die Sonne unterging.« Er gab ihr das Glas. »Ich hoffe, der hier findet deine Zustimmung.«

Ich fragte mich wieder, in welcher Beziehung sie zueinander gestanden hatten, vorher. Für einen Anwalt zeigte er ein ungewöhnliches Interesse an ihrem Wohlergehen. Aber ihr Ehemann ist er nicht, sonst würde er hier wohnen. Außerdem berührt er sie vorsichtig, zögernd. Er geht zwanglos mit ihr um, mit einer gewissen Vertrautheit, aber er berührt sie nicht so, wie ein Mensch einen anderen berührt, mit dem er körperlich intim ist. Er berührt sie wie ein Bruder oder ein Cousin. Außerdem ist dieses Haus eindeutig für eine Person ausgelegt. Es ist ein weibliches Haus. Grace war Single.

»Haben Sie sie geliebt?«

Mr Preston sah mich scharf an. Es erinnerte mich an den Blick, mit dem mich mein Großvater (Omas »Männe«) immer bedacht hatte, wenn ich ihn etwas zu Persönliches fragte. Dann hatte Grandpa mir diesen

Blick zugeworfen und gesagt: »Und du, hm? Was hast du heute für Unterhosen an?« Diesen Blick hatte Mr Preston nun im Gesicht, und er sah aus, als würde er jeden Moment nach meinen Unterhosen fragen. Seine Augen waren leicht zusammengekniffen. Eine Spannung lag zwischen uns.

»Ich meine, es ist nur eine ganz persönliche Beobachtung. Es klingt, als hätten Sie sie geliebt.« Ich war verlegen, und weil ich spürte, wie mir die Röte ins Gesicht schoss, drehte ich mich weg, öffnete die Schranktür wieder und tat, als suche ich etwas.

Als ich mein Gesicht wieder aus dem Schrank nahm, lächelte er. Die Spannung war weg. »Jeder war ein bisschen verliebt in Grace.«

Er stand auf und kam zu mir herüber. »Erst jetzt kann ich ihr Dinge sagen, die ich ihr schon immer sagen wollte. Ich hatte immer Angst, sie würde …«

Mitten in der Nacht mit Eidechsenaugen über die Frisierkommode kriechen?

Er trat von einem Fuß auf den anderen. »Sehen Sie, Grace hatte eine gewisse Art, Leute herabzusetzen. Für sie war eine Beleidigung eine Form von Kunst. Über die Jahre hin hat sie diese Kunst perfektioniert. Ich wollte da nicht unbedingt ihr Adressat sein.«

»Sind Sie deshalb hier? Tun Sie das deshalb – der Wein, die Schuhe und alles? Weil Sie sie geliebt haben?«

Wieder scharrte Mr Preston mit den Füßen. Diesmal war ich zu weit gegangen. Aber er antwortete trotzdem.

»Ich verdanke Grace viel. Ich wäre nie so weit gekommen in meinem Beruf, wenn sie nicht gewesen wäre. In gewisser Hinsicht bekam ich die Karriere, die ihr zugestanden hätte. Ich habe es damals nicht erkannt, diese Ungerechtigkeit. Sehen Sie, das war auch ein Talent von ihr – man hat etwas getan auf ihre Anregung hin, und sie hat einen darin bestärkt, es sei die eigene Idee gewesen. Sie war eine Meisterin im Manipulieren.«

Er verstummte. Mit dieser Pause schien die Gelegenheit, mehr zu erfahren, vorüber. Für den Moment jedenfalls. Langsam steuerte das Gespräch in eine andere Richtung.

»Ich sehe, wie die Menschen Grace behandeln. Ich sehe ihre Schwestern, die herkommen und ihre schönen Dinge wegtragen – Dinge, die Grace so liebevoll gesammelt hat über die Jahre. Ich erlebe Krankenschwestern und Pflegerinnen, die mit ihr sprechen, als sei sie eine Art zurückgebliebenes Kind. Ich höre, wie Leute über sie reden, als sei sie nicht im Zimmer.«

Ich runzelte die Stirn und schaute ins Wohnzimmer, wo Grace saß. »Wie Sie es jetzt gerade tun?«

»Ich versuche Ihnen etwas klar zu machen, also passen Sie auf.« Er sah mich finster an und machte eine Pause, um sich zu vergewissern, dass ich auch zuhörte. »Ich habe sie im Krankenhaus besucht und ich habe gesehen, wie man ihr geschmackloses püriertes Zeug ins Gesicht schaufelte.«

Wie ich es getan hatte.

»Grace hing schief in einem Sessel, an den Füßen

Pantoffeln. Es war so schrecklich. Da war kein Takt-gefühl, da war kein Leben – keine Würde. Da saß diese feinsinnige, intelligente Frau in Pantoffeln, und an ihrem Kinn tropfte grauer unappetitlicher Matsch herunter. Es war abscheulich.«

Er hatte die Hände in die Hüften gestemmt und die Stirn in Falten gelegt. Ich sah Zorn in seinem Gesicht.

»Ich weiß nicht, wie viel sie fühlen oder verstehen kann. Ich weiß nicht, ob sie überhaupt denkt oder träumt, aber ich muss ihr die Möglichkeit zugestehen. Es hat Zeiten gegeben, da war sie unfreundlich oder grausam, aber …«

Mr Preston schüttelte langsam den Kopf.

»Können Sie sich eine schlimmere Hölle vorstellen, als für den Rest Ihres Lebens gedemütigt und bedauert zu werden? Grace, die sich an Musik freute, an Wein und gutem Essen, an Literatur und Kunst und die sich mit Schönheit und Licht umgab.« Er ging im Kreis herum, die Handflächen nach oben.

»Hätten Sie Grace früher gekannt, wüssten Sie, dass es nichts Beleidigenderes für sie gibt, nichts Grässlicheres, als den Rest ihres Lebens auf diese Weise zu verbringen.«

Mr Preston sah müde und alt aus.

»Wenn ich ihr diese Qual ein bisschen erleichtern kann, wenn ich ihr wenigstens etwas wie einen Schatten, eine Spur, einen noch so leichten Hauch von Freude und … und von *Leben* schenken kann … Deshalb tue ich das, ich versuche, ihr einen Funken davon zu vermitteln. Ich versuche, ihr den angenehmen Geschmack ihres Lebens zurückzugeben – ihres früheren Lebens. Verstehen Sie?«

Er sah mich gespannt an.

»Ich glaube, das ist der Grund, warum ich gerade auf Sie gekommen bin. Sie haben Leben in sich. Als ich Sie sah, dachte ich, dass Sie diesen Funken haben. Es ist sehr wichtig für mich, dass Sie verstehen. Es ist sehr wichtig für Grace.«

Ich sah zu Grace, die mit übereinander geschlagenen Beinen in ihrem Stuhl saß. Prickles lag wieder auf ihrem Schoß. Grace blickte aus dem Fenster. Das Weinglas hatte sie auf der Armlehne abgestellt. Wie sie so dasaß mit ihren glänzenden neuen Schuhen, hätte man sie für einen normalen gesunden Menschen halten können. Für einen sehr wohlhabenden normalen gesunden Menschen – mit einem Dienstmädchen.

10

Heute Vormittag haben uns zwei der Grace-Schwestern mit ihrem Besuch beglückt. Strichmund heißt mit richtigem Namen Brioney. Es gibt noch eine dritte, Angelica, aber sie wohnt irgendwo weit weg und kommt nur an Weihnachten zu Besuch.

Die Frau mit den Gummihandschuhen heißt Charity. Sie ist ungefähr so »charitativ«, wie Saddam Hussein es war.

Charity ist froh, dass Angelica nicht öfter zu Besuch kommt, weil »ihr Mann eine Autohandlung besitzt und sie sich aufdonnert wie ein Showgirl und sich für was Besseres hält«.

Jedenfalls wollten sie »nur mal vobeischauen, um zu sehen, wie alles läuft«. Auch um zu erfahren, zu welchen Zeiten ich hier arbeite und ob mir irgendetwas im Weg sei.

Ich erkläre, dass ich gut zurechtkomme, dass ich die ganze Zeit hier arbeite und dass alles gut steht, wo es steht, vielen Dank.

Strichmund-Brioney mit der Beatlesfrisur arbeitet bei der Justizverwaltung (als Gefängniswärterin?) und außerdem lehrt sie an einer Volkshochschule etwas, das sich »Quilling« nennt.

Was soll man sich unter Quilling vorstellen? Ich nehme an, es ist eine Art Handarbeits- oder Handwerks-technik, irgendetwas zwischen Quilten und Basteln mit Federn. Ich lasse mir nichts anmerken und tue so, als sei ich in Kunst und Handwerk bestens bewandert. Strichmund ist eine große starkknochige Frau mit langem Hals. Ihr langer Hals ist umso bemerkenswerter, als sie kein Kinn hat. Sie erinnert mich an etwas, aber ich kann nicht sagen, an was.

Gummihandschuh-Charity ist klein und untersetzt. Sie hat drei unwahrscheinlich kluge und begabte Kinder, Jeremy, Bianca und Simone. Ich nicke und lächle, aber ich höre nicht wirklich zu. Sie gehört zu der Sorte von Menschen, die gegen die Decke reden, deshalb denke ich nicht, dass es ihr auffällt. Außerdem schüttelt sie beim Reden ständig ihr Haar.

Brioney erklärt mir, während Charity »sich die Nase pudert«, dass Charitys Mann ein Gauner ist, der wahrscheinlich noch mal im Knast enden wird, und dass ihre Kinder total verzogen sind. Sie flüstert nicht gerade, spricht aber leise und beendet jeden Satz mit einem bedeutungsvollen Nicken. Solange sie spricht, schaue ich ständig auf ihren Kopf.

Wem sieht sie nur ähnlich?

Laut Brioney hat Charity nach den Kindern nie wieder ihre frühere Figur erreicht und jetzt ist es vermutlich zu spät dazu. Sie sagt, ihrer Meinung nach sollte ich wissen, dass die Beziehung zwischen Charity und Angelica gespannt ist, weil Angelica eine perfekte Figur hat und Charity neidisch ist. *Bedeutungsvolles Nicken.* Sie teilt mir auch mit, dass es an ihrer Schule ein gutes Solarium gebe, und ich solle hingehen, damit ich »ein bisschen Farbe bekäme«.

Ich will ihr erklären, dass ich Blasen bekomme, wenn ich in ein Solarium gehe, und dass ich für den Rest des Tages immer wieder ohnmächtig werde. Ich habe sehr empfindliche Haut. Ich will ihr sagen, dass ich im besten Fall einen hellen Beigeton zu Stande bringe. Aber ich halte lieber meinen Mund und lächle. Leute, die leicht braun werden, haben kein Verständnis für solche, die nicht braun werden, genau wie Leute, die gern joggen, kein Verständnis haben für solche, die nicht joggen. Joggen ist auch so eine Aktivität, von der ich Blasen und Ohnmachtsanfälle bekomme.

Charity scheucht mich auf die Terrasse hinaus, während Brioney Kaffee macht, und erzählt mir, dass Brioney in Sünde lebt mit einem faulen Mann, der spielt, und dass der sie nie heiraten wird, weil sie nicht mal die einfachsten Dinge tun will, zum Beispiel ein anständiges Essen kochen, womit man einen Mann glücklich machen kann.

Sie redet mit zischelnder Flüsterstimme und mit aufgerissenen Augen. Beim Reden legt sie mir die Hand auf den Arm, ich kann also nicht entkommen.

Sie sagt, dass heutzutage ein Haufen Wind um die Rechte der Frauen gemacht wird, und selbstverständlich ist sie ja ganz dafür, aber es gibt mehr Frauen als Männer, und wenn man einen guten abbekommen will, muss man eben in punkto feministischer Ideale ab und zu kleine Kompromisse eingehen.

Sie sagt, ich soll nicht zu lange warten mit Kindern,

weil Kinder eine solche Bereicherung seien, und wenn ich nicht bald welche haben würde, würde ich alt und einsam enden wie Brioney.

Sie sagt auch, dass ich ihrer Meinung nach wissen sollte, dass die Beziehung zwischen ihr und Angelica in letzter Zeit gespannt ist, und das hat nichts mit der Figur zu tun, egal, wie Brioney darüber denkt.

Beide erklärten – in Gegenwart von Grace und mit normalen Stimmen –, dass sie das, was Grace zugestoßen war, tragisch fänden, weil ihre Karriere so erfolgreich verlaufen war und alles, aber insgeheim hatten sie schon immer den Gedanken gehabt, dass sie eben doch nur bis dahin und nicht weiter kommen werde. Weil sie kurze Röcke trug, wenn Sie verstehen. *Bedeutungsvolles Nicken, aufgerissene Augen.*

Sie warfen verstohlene Blicke in Graces Richtung, als befürchteten sie, sie könnte aufstehen und die Sache bestreiten.

Weil ich achtzehn bin, weiß ich manches, zum Beispiel weiß ich, dass Stöcke und Steine tatsächlich sehr wirksame Mittel sind, um Knochen zu brechen, dass aber Worte, wenige schlecht gezielte Anspielungen (oder auch gut gezielte, leider) genauso schwer ins Auge gehen können, bildlich gesprochen. Man sollte deshalb also nicht auf Teufel komm raus mit Worten um sich werfen.

Ich sagte Grace, als Brioney und Charity gegangen waren, dass ich fände, ihre Schwestern seien zwei alte geschwätzige Krähen, und hoffentlich würden sie nicht wiederkommen.

Am frühen Nachmittag kommt Jan wegen der Physio. Heute Abend habe ich die erste Vorlesung. Ich bin sehr nervös.

Langsam gehe ich durch den Park, meinen Rucksack über der Schulter und einen blanken, viel versprechenden, neuen Notizblock unter dem Arm.

Im Park gibt es mehrere Trimm-dich-Pfade mit hölzernen Geräten und Schildern, auf denen steht, was man machen soll. Ich probiere den Schwebebalken aus. Er ist nur ungefähr dreißig Zentimeter über dem Boden, aber ich stelle mir vor, er wäre das Hochseil im Zirkus.

Ich versuche einen Trommelwirbel nachzuahmen, aber ich höre mich eher an wie ein Deckenventilator, der aus dem Takt gekommen ist, deshalb summe ich lieber die Filmmusik von *Der weiße Hai*.

Ich finde es komisch, den Tag um neunzehn Uhr zu beginnen.

Ich freue mich darauf, zur Universität zu gehen. Ich bin ein Streber. Ich schäme mich nicht. Ich habe eine Leidenschaft für Sciencefiction. Ich hatte eine Zahnspange. Ich melde mich, wenn ich auf eine Frage antworten will. Ich gehe in die Bibliothek. Ich blättere sogar in den Schulbüchern, bevor nach den Ferien der Unterricht wieder beginnt.

Ich gehe also zur Universität. Vor dem Gebäude ist ein riesiger Parkplatz, ungefähr so groß wie zwei Fußballplätze, über den zwei Wege zu den Unigebäuden führen. Ich nehme den nächstliegenden. Überall sind Bäume und überall liegen Studenten auf dem Rasen, die damit beschäftigt sind, sich selbst zu ohrfeigen.

Ich gehe den Weg hinunter, der zum Vorlesungssaal führt. Ich bin zu früh dran, wie sich das gehört für einen Streber, der etwas auf sich hält. Auch ein paar andere Streber stehen herum und warten. Sie ohrfeigen sich selbst.

Warum schlagen die sich alle selbst?

Ich stelle meinen Rucksack auf meine Füße und binde mir den Pulli fester um die Taille. Ich klatsche auf meinen Unterarm.

Moskitos!

Eine kleine Wolke von Moskitos umkreist mich träge.

Die Tür des Vorlesungssaals öffnet sich und Studenten kommen heraus. Ich suche mir einen Platz weit vorn und verteile meine blanken, viel versprechenden neuen Farbstifte auf dem kleinen Halbtisch vor mir.

Als Erstes teilt uns der Dozent mit, dass er das Vergnügen haben wird, sich nächstes Jahr im gleichen Kurs in der Gesellschaft von mindestens 70 % von uns zu befinden, denn so viele fallen jedes Jahr bei der Prüfung durch.

»Ich nicht«, sagt der Streber.

Nach der Hälfte der Vorlesung ist Pause. Alle anderen Studenten marschieren hintereinander aus dem Saal, gehen zur Toilette, rauchen oder unterhalten sich. Ich bleibe an meinem kleinen Tisch sitzen, unterstreiche die wichtigen Stellen rot und male um die einzelnen Punkte auf der Liste nette kleine Sterne. Auf meine Notizen bin ich schon immer stolz gewesen.

Nach der Pause verkündet der Dozent die Termine

der künftigen Arbeiten und die Kapitel, die wir bis dahin gelesen haben sollen. Ich notiere mir die Daten und übertrage sie noch einmal in meinen Terminkalender.

Am Ende der Vorlesung kommt ein asiatisch aussehender Typ auf mich zu. Er lächelt und nickt. Er hat langes dichtes schwarzes Haar, im Nacken zusammengebunden.

Ich glaube, er sagt etwas wie, ob er sich meine Notizen ausleihen kann, weil er nicht sehr gut Englisch spricht, er ist erst seit kurzem hier, und er kann dem Dozenten nicht ganz folgen. Ich glaube, er sagt, er heißt Hiro, aber das kann genauso gut ein Teil seiner Erklärung gewesen sein.

Ich spüre, wie sich eine gigantische Röte strahlenförmig in mir ausbreitet, weil ich nicht verstehe, was er sagt, und ich das aus irgendeinem Grund höchst peinlich finde.

Zuerst spüre ich die Röte bis zum Hals und zum Kinn steigen. Nur bis Hals und Kinn. Alles andere hat noch die normale Elfenbeinfarbe. Ich ziehe also mein T-Shirt bis an die Unterlippe herauf. Ich nicke ihm zu, ich lächle, als sei es völlig normal, dass man sich plötzlich das T-Shirt halb übers Gesicht zieht.

Die Röte ist inzwischen über meinen Nacken und bis zu den Ohren gekrochen. Ich schiebe das Kinn vor, um das T-Shirt in Stellung zu halten, dann lasse ich kurz los. Ich fummle den Pulli von meiner Taille ab. Ich lasse das T-Shirt in die normale Stellung zurückfallen und wickle mir gleichzeitig schnell den Pulli über den Kopf, und zwar so, dass der Ausschnitt bis an die Augenbrauen reicht und die Ärmel lose um meinen Hals geschlungen sind.

Jeder Streber, der auf sich hält, hat immer einen Pullover dabei, selbst im wärmsten Sommer. Jeder Streber weiß, dass es wichtig ist, auf jede Eventualität vorbereitet zu sein.

Ich glaube, er sagt, dass er mich schon finden und dass er die Notizen in ein, zwei Tagen zurückgeben wird. Aber ich kann es wirklich nicht genau sagen. Ich konzentriere mich nicht auf seine Worte. Ich konzentriere mich auf die Bewältigung meiner Röte.

Sie hat jetzt von hinten meine Schläfen erreicht und kriecht abwärts über meine Wangen, und weil ich den Pulli nicht über das ganze Gesicht ziehen kann, ohne die letzte Spur von Würde zu verlieren, blinzle ich nun stattdessen interessiert über Hiros Schulter.

Jetzt ist keine Gefahr mehr (ich schaue ja nicht ihn, sondern etwas anderes an, deshalb kann er die Röte nicht sehen: die altbewährte Rachel-Logik im Einsatz), und ich stelle mir vor, dass sich Hiro aus dem Staub machen wird mit meinem blanken, viel versprechenden, neuen Notizblock, auf dem jeder Absatz in einer anderen, viel versprechenden, neuen Farbe geschrieben ist, und ich werde den Kerl nie wiedersehen. Aber weil es nur um ein paar läppische Notizen von einer einzigen Vorlesung geht, und weil ich eine Streberin bin, die mit Begeisterung lernt und sich sowieso schon alles eingeprägt hat, gebe ich sie ihm. Er entfernt sich rückwärts von mir, noch immer lächelnd und nickend.

Er hat kräftige, breite Schultern. Keine Spur von

Hängeschultern. Es sind sehr gut aussehende Schultern.

Heute Abend werde ich nichts wiederholen können. Ich verlasse die Universität mit um den Kopf gewickeltem Pullover und schaue keinen an, der an mir vorbeigeht. Bis so eine intensive Röte nachlässt, dauert es immer eine Weile.

Kaum komme ich zur Tür herein, ruft meine Mutter an.

»Wie war's? Wie ist es gegangen?«

»Ach, na ja. Es war o.k.«

»Red doch nicht so pubertär«, sagt sie.

»Also o.k., es war ganz gut. Ich habe mich hingesetzt. Ein Mann hat geredet. Ich bin nach Hause gegangen.«

»Und hast du dich mit jemandem angefreundet?«, fragt sie.

»Ja, da war so ein Junge. Er hat sich meine Notizen ausgeliehen.«

»Bist du sicher, dass das eine gute Idee war?«

»Das geht schon in Ordnung.«

Ich erzähle Mum die Sache von Hiro und dem Rotwerden. Sie findet es witzig. Ich kann mir richtig vorstellen, wie sie mit der Hand auf dem Bauch in der Küche steht und vor Lachen den Kopf zurückwirft.

Neben dem Telefon liegt ein Adressbuch. Ich blättere die Seiten durch und sehe die Nummer dieser Yvonne. Ich wähle die Nummer und lausche auf das Freizeichen.

»Hallo?«

»Yvonne?«, frage ich.

»Ja. Wer ist da?«

»Sie kennen mich nicht. Mein Name ist Rachel. Ich bin die Pflegerin von Grace. Sie haben gestern bei ihr angerufen. Grace hat eine Hirnverletzung, deshalb hat sie nicht zurückgerufen.«

Die Leitung bleibt stumm.

»Sind Sie noch da?«, frage ich.

Die Stimme, die antwortet, klingt erstickt.

»Mein Gott, ich kann es nicht glauben.«

»Doch. Ich dachte nur, ich sollte Ihnen Bescheid geben«, sage ich.

»Danke«, sagt die Stimme, dann war die Leitung tot.

11

Heute Vormittag habe ich einen Spaziergang mit Grace gemacht. Sie bewegt sich langsam und ist schnell beunruhigt. Ich denke, ein bisschen Training tut ihr gut.

Ich wollte mit ihr zum Strand gehen, aber dann hatte ich Angst, sie könnte müde werden und ich würde sie nicht mehr nach Hause kriegen. Im Auto kann ich sie keine längeren Strecken mitnehmen, weil ich nur einen Schnorchel habe.

Jedenfalls habe ich sie mit Sonnenschutzcreme eingerieben, und dann spazierten wir durch den Park. Es war ein richtig schöner, sonniger Tag, nicht zu heiß.

Wir gingen durch den gepflegten Park mit dem Rundbeet und den rot, grün, gelb und blau gestrichenen Spielgeräten. Die Rosen blühten, und als Grace müde wurde, setzten wir uns unter einen großen Feigenbaum und ich steckte ihr ein paar kleine gelbe Rosenknospen ins Haar.

Sie hatte den Mund geschlossen und bis auf ihren stumpfen Blick sah sie beinahe hübsch aus.

In diesem Park gibt es ein kleines Café, nur wird es nicht Café genannt, sondern Teehaus. Cafés werden nur dann Cafés genannt, wenn sie an der Straße gelegen sind. Sind sie in einem Park oder an einer anderen Stelle mit schöner Aussicht, werden sie Teehaus genannt.

An einem der Tische im Freien sah ich Mr Preston mit einem anderen Mann sitzen. Mr Preston saß lässig zurückgelehnt, einen Fuß auf sein Knie gelegt, die Hände hinter dem Kopf verschränkt. Er trug, ähnlich wie der andere Mann, einen dunklen Anzug und eine Sonnenbrille. Der andere war eine ganze Ecke schlanker als Mr Preston.

Mr Preston stand auf und winkte uns heran.

»Guten Morgen, die Damen«, sagte er mit angespannter Miene.

»Guten Morgen, Mr Preston.« Es kam in diesem Singsangton heraus, in dem wir in der Grundschule immer unseren Direktor begrüßt hatten. Ich konnte nichts dafür! Es war so tief in mir verwurzelt. Mr Preston lächelte und verlagerte sein Gewicht von einem Fuß auf den anderen. Mir dämmerte, dass er nun womöglich dachte, ich wollte mich über ihn lustig machen.

»Rachel, das ist mein Bruder Anthony.«

Anthony Preston stand auf und nahm meine Hand zwischen seine beiden. Er schüttelte sie nicht, sondern hielt sie eine Weile fest. Seine Hände waren weich und trocken. Seine Augen konnte ich wegen der Sonnenbrille nicht sehen, aber seine gleichmäßigen Zähne waren makellos weiß.

Beim Lächeln zog er die Lippen an den Mundwinkeln nach oben. Manche Leute ziehen die Lippen nur zur Seite und entblößen ihre Zähne, wenn sie lächeln. Anthony Prestons Lippen bewegten sich eindeutig nach oben.

Er sah sehr gut aus. Er lächelte auf diese belustigte Art – wie jemand, der weiß, dass man ihn gut aussehend findet.

Er glich Mr Preston, nur war er ungefähr fünf Jahre jünger und zwanzig Kilo leichter.

»Anthony, das ist Rachel, unsere wunderbare Pflegerin, und Grace kennst du ja.«

Anthony drehte den Kopf in Graces Richtung. Dann schob er seine Sonenbrille über die Stirn auf den Kopf und lächelte mich wieder an. Seine Augen waren fast unnatürlich blau. Er dehnte seinen Augenkontakt mit mir so lange aus, bis ich mich unwohl fühlte. Seine bedeutungsvollen Blicke empfand ich wie eine körperliche Berührung. Ich fröstelte.

In Gegenwart derart gut aussehender Menschen habe ich mich schon immer unwohl gefühlt. Es ist, als erinnerten sie mich daran, wie ungeschickt ich bin. Ich weiß nie, was ich sagen oder wie ich mich verhalten soll.

Wir standen eine Weile da, keiner wusste, worüber man reden könnte. Schließlich sagte Anthony: »Wollen Sie sich nicht zu uns setzen, Rachel?« Er setzte sich, zog einen Stuhl neben seinem hervor und klopfte auf den Sitz. In seinem Blick lag irgendwie etwas Hungriges, das mich sehr unsicher machte.

Mr Preston stand noch immer neben dem Tisch und sah stirnrunzelnd seinen Bruder an. Ich beobachtete, wie er sich in den großen knurrigen Bär verwandelte. »Du unverschämter, arroganter Schweinehund«, knurrte er.

Immer noch lächelnd drehte sich Anthony Preston seinem Bruder zu, der die Hände in die Hüften gestemmt hatte und ihn finster ansah.

Ich wusste nicht, was ich tun sollte, also blieb ich einfach stehen.

Anthony Preston warf den Kopf zurück und lachte durch seine weißen Zähne. »Sorry, sorry, wollt *ihr* euch nicht zu uns setzen, Rachel *und* Grace?«

Er klopfte auf den Sitz neben sich, beugte sich dann mit übertriebener Geste darüber und klopfte auch noch auf den Sitz des nächsten Stuhles. Dann lehnte er sich zurück und hob einladend beide Hände, die Innenseiten nach oben.

Ich sah Mr Preston und seinen Bruder an, sie waren offenbar in eine Art von männlichem Machtkampf verstrickt.

»Hmm, nein. Danke. Grace und ich wollen spazieren gehen. Ich hoffe, das heißt, *wir* hoffen, Sie haben einen angenehmen Nachmittag.«

Dann nahm ich Grace am Arm und dirigierte sie heimwärts.

12

Ich habe eine Entdeckung gemacht. Ich war in Graces Arbeitszimmer und habe etwas gefunden. Ich hatte sie gerade zu Bett gebracht. Seit ein paar Tagen lese ich ihr immer vor, bis sie einschläft oder bis ich einschlafe. Ich helfe ihr ins Bett, dann setze ich mich neben sie und lese.

Manchmal schlafe ich vor ihr ein und schrecke hoch, wenn mir plötzlich meine Spucke auf den Arm tropft. Dann starrt Grace zur Decke und wartet geduldig, dass ich weiterlese. Ich frage mich, ob sie wohl denkt: »Ich habe durchaus eine Ader für dramatische Pausen, aber sicher!«

Manchmal habe ich danach noch in meinem Bett gelesen, bin dabei eingeschlafen und habe das Buch auf mein Gesicht fallen lassen. Junge, war das ein Schreck! *Ahh, jemand hat mir ein Buch aufs Gesicht geknallt! Oh ... das war ja ich.*

Ab und zu passiert es mir, dass mein Körper im Schlaf irgendwie zusammenzuckt und ich durch die unkontrollierte Bewegung aufschrecke. Diesen Vorgang bei anderen Leuten zu beobachten, ist meine Lieblingsbeschäftigung, um mir auf Zugfahrten die Langeweile zu vertreiben. Ich setze mich absichtlich immer so, dass ich einen guten Blick auf allein Reisende habe, die so richtig müde aussehen. Besonders witzig ist es bei seriösen, vornehm gekleideten Leuten. Ich könnte mich jedes Mal kaputtlachen, wenn ihnen plötzlich der Kopf wegsinkt!

Jedenfalls glaube ich, dass es Grace gefällt. Ich meine, das Vorlesen, nicht das Zusammenzucken oder das Kopfrollen. Ihre Augen wandern durchs Zimmer. Sie schaut zur Decke. Nach einer Weile werden ihre Augenlider schwer, es dauert immer länger, bis sie sie nach dem Blinzeln wieder aufklappt, und schließlich bleiben sie ganz geschlossen. Dann stehe ich vorsichtig auf und gehe zu Bett.

Manchmal lese ich die Geschichte in meinem Bett weiter. Grace verpasst dann ein paar Seiten, aber es scheint ihr nicht aufzufallen. Außerdem hat sie die Bücher wahrscheinlich sowieso schon alle gelesen.

Ich hatte sie gerade zu Bett gebracht und war in ihr Arbeitszimmer gegangen, um neuen Lesestoff zu holen. Ich hatte auch schon ein paar infrage kommende Bücher aus dem Regal genommen – nichts Schwieriges, Krimis meistens. Geschichten, in denen höchstwahrscheinlich eine Sexszene vorkommt, versuche ich immer zu vermeiden. Bei Videos ist es ähnlich. Ich werde rot, es ist zum Verrücktwerden. Man sieht schon meilenweit vorher, wie es sich anbahnt, man ist gerade mitten im schönsten Lesen: Plötzlich »*spürt jemand warme Haut*« oder entdeckt »*sanfte Rundungen*« oder es entweicht ihm »*ein leises Stöhnen*«. Bevor sich Rücken wölben, bin ich aus dem Zimmer. Das ist alles zu viel.

Ich ging durch den Kleiderschrank in Graces Arbeitszimmer. Es ist ziemlich klein. An jeder Wand stehen Bücherregale bis zur Decke. Es gibt Wörterbücher, dicke Wälzer in verschiedenen Sprachen und juristische Texte.

Jedenfalls zog ich ein paar Bücher heraus, und auf einmal stellte ich fest, dass dahinter etwas eingeklemmt war. Es war eine alte Schuhschachtel. Aus diesem Regalfach hatten wir schon ein paar Bücher gelesen. Wieso hatte ich die Schachtel noch nicht gesehen?

Ich linste durch den Schrank ins Schlafzimmer zu Grace. Sie lag im Bett und blinzelte schon schwer und langsam. Ich knipste die Schreibtischlampe an und setzte mich mit der Schachtel an den Tisch.

Sie musste einmal weiß gewesen sein, aber jetzt war sie grau. An den Seiten war sie eingedellt, als sei sie zusammengedrückt worden, der Deckel war wellig und lag lose auf.

Ich schaute noch einmal verstohlen durch die Schranktür. Grace hatte die Augen geschlossen, ihr Mund war geöffnet.

Bestimmt war das eine Spukschachtel. »Spukschachtel«, das ist ein typisches Kate-Wort.

Einmal hatte ich meine Freundin Kate in ihrer Wohnung besucht. Sie besitzt kein Sofa. Man muss auf großen Samtkissen auf dem Boden sitzen. Wenn Kate auf einem großen Samtkissen sitzt, die schlanken Beine unter sich gezogen, sieht sie aus wie eine kleine Elfe oder Fee. Ich sehe verkrampft aus und sitze wie auf Kohlen.

Sie war deprimiert, weil sie sich gerade von Maxwell getrennt hatte (wieder mal). Kate und Maxwell sind schon seit ewigen Zeiten zusammen, aber alle paar Monate trennen sie sich für vierundzwanzig Stunden. Sie kann darüber lachen, wenn gerade keine Trennung droht. An diesem Tag aber war sie in tiefster Verzweiflung. Diesmal war es für immer.

Ganz sicher.

Sie sagte, sie sei gerade dabei, noch einmal alles aus ihrer Spukschachtel anzuschauen, was mit Maxwell zu tun hatte.

»Was ist eine Spukschachtel?«

»Du weißt schon, die Schachtel, aus der du deine Gespenster rufen kannst.«

»Ich habe keine Spukschachtel.«

»Doch, hast du bestimmt. Jeder hat eine Spukschachtel. Manche haben eine Spukschublade, manche haben einen Spukschrank oder ein Spukzimmer. Meine Großmutter hat ein Spukhaus.«

Ich schaute in Kates Spukschachtel. »Eine Fahrkarte«, sage ich. »An einer Fahrkarte ist nichts Spukhaftes.«

»Für dich vielleicht nicht. Als ich diese Fahrkarte kaufte, hatten Maxwell und ich schon den ganzen Tag gestritten.«

Kate und Maxwell streiten immer den ganzen Tag, nur, man kriegt es nicht unbedingt mit. Maxwell steht immer gelangweilt und mürrisch herum, deshalb lässt sich schwer sagen, ob er grantig ist oder nur ruhig und cool.

Ich finde, Maxwell benimmt sich wie einer, der ständig darauf brennt, irgendwo anders hinzugehen. Ein paarmal nach der Arbeit bin ich mit ihnen auf einen Drink gegangen. Kate geht immer in einen bestimmten Pub, dort ist jede freie Fläche mit alten Sachen aus der Kolonialzeit dekoriert, zum Beispiel mit Kisten, Pferdegeschirren und rostigen landwirtschaftlichen Geräten.

In scharfem Kontrast zu dieser traulichen Farm-Atmosphäre wird in diesem bestimmten Pub Ska gespielt, und zwar unter Ausschluss fast aller anderen musikalischen Stilrichtungen (außer Reggae natürlich, der den ländlichen Charme beängstigend abschleift).

Wir gingen also in diesen Pub, und alle waren supercool und zappelten und krümmten sich zur Musik, weil sie zu cool sind, um richtig mit Schwung zu tanzen. Maxwell wollte sich nicht setzen. Er blieb, mit dem Rücken zu uns, in ein paar Metern Entfernung stehen, eine Hand in der Tasche, und wartete, egal ob es Stunden dauern würde.

Ich fand das nervig, denn immer, wenn Kate etwas zu ihm sagen wollte, verstand er es nicht, und sie musste alles zwei- oder dreimal sagen.

Bei jeder Unterhaltung mit ihm habe ich den starken Eindruck, dass er das Gespräch möglichst schnell hinter sich bringen will, damit er gehen kann. »*Wie sieht's aus, Maxwell?*« – »*Gut, gut.*« (*Schneller Blick auf die Uhr.*) Kein Wunder, dass sie die ganze Zeit streiten. Er würde mich rasend machen.

Kate sitzt also auf ihrem Samtkissen, vor sich in kleinen Stapeln auf dem Boden den Inhalt ihrer Spuk-schachtel. Sie drückt die Fahrkarte an den Busen. »Da-mals in diesem Zug, also wir waren am Ende so er-schöpft vom Einanderanschreien ...«

Maxwell schreit?

»... dass wir eingeschlafen sind. Als wir aufwachten, hatten wir unsere Station verschlafen und waren noch zwei Stunden weitergefahren. Wir landeten in einer winzig kleinen Stadt. Es war eiskalt und stürmisch, und der nächste Zug, mit dem wir nach Hause konn-ten, fuhr erst in sechs Stunden.«

Kate seufzt. Ihre Unterlippe zittert.

Sie hat einen Hang zum Theatralischen.

»Da sind wir in einen kleinen Pub gegangen. Wir ha-ben dunkles Bier getrunken. Wir haben mit den Einhei-mischen Billard gespielt und einem verhutzelten alten Mann zugehört. Er hatte ein Gesicht wie eine Walnuss. Er muss über hundert gewesen sein. Er hat Gedichte gelesen und Klarinette gespielt. Er war einer der besten Vortragskünstler, die ich in meinem Leben gehört habe. Und dieser Nachmittag war einer der lustigsten Nachmittage überhaupt – wäre er auch dann, wenn wir eine Geldstrafe wegen Schwarzfahrens bekommen hätten.«

Dann fing Kate an zu weinen. Ich kämpfte mich also aus meinem Samtkissen und ging.

13

Grace lag inzwischen auf der Seite und schnarchte leise. Ich wischte den Staub vom Deckel der Spukschachtel, nahm ihn ab und legte ihn verkehrt herum auf den Schreibtisch.

Die Schachtel war voll gestopft mit Papieren, manche vergilbt und an den Ecken zerknittert, mit Fotos in Plastikhüllen, Geburtstagskarten, Briefen – alles Dinge, wie ich sie erwartet hatte.

Ein Anflug von schlechtem Gewissen überkam mich, trotzdem nahm ich das erste Papier aus der Schachtel, legte die Füße auf den Computertower und las.

Hallo, Schreihals und Sirene,
ich wohne jetzt seit sechs Monaten neben Ihnen. Danke, dass Sie damals meine Wäsche abgenommen haben, als es regnete. Ein paar geringfügige Einwände habe ich aber doch zu machen.

1. Schreihals, ich protestiere dagegen, dass Sie jedes Mal Ihren Hund schlagen, wenn Sie mit Sirene gestritten haben. Gut, ich gebe zu, dass er unmöglich ist und keinerlei Manieren hat, aber Sie können für seinen abscheulichen Mangel an sozialen Fähigkeiten und seiner allgegenwärtigen Angriffslust niemandem die Schuld geben außer sich selbst.

2. Sirene, ich bin durchaus für Gleichberechtigung und gewiss die Erste, die sich für die Rechte der Frauen stark macht. Aber eine Frau, deren Eltern (ich nehme an, es sind Ihre Eltern, denn sie besitzen ein ähnlich wohlklingendes, besänftigendes Organ) ihr zweimal wöchentlich das Haus putzen, den Wagen waschen, die Einkäufe erledigen und die Wäsche waschen – hat es eine solche Frau tatsächlich nötig, jeden Abend derart lautstark zu protestieren, weil sie den Abwasch machen muss?

3. Noch etwas zum Thema Hund. Dass er Ihre Blumen frisst, Ihre Gartenmöbel, Ihre Schuhe (und meine!), liegt möglicherweise daran, dass er gelernt hat, dass er nur bei schlechtem Benehmen Aufmerksamkeit bekommt. Zu dieser Vermutung komme ich deshalb, weil ich ihn in Ihrer Gegenwart nur ein einziges Mal glücklich erlebt habe. Er hatte einen nicht mehr besonders weißen Strandschuh zwischen den Zähnen und rannte damit schadenfroh um die Fahnenstange herum. Getobt und gesprudelt haben Sie da vor Wut, Sie haben sich geduckt und sind auf Strümpfen im Zickzack gesprungen. Es war sehr erheiternd.

Mein Rat an Sie, Schreihals: Verlassen Sie Ihre Sirene, sie ist eine Hexe, Sie sind ohne sie viel besser dran.

Sirene, Sie machen den Abwasch, o.k.?

Zuneigung kann ich nur für den Hund empfinden. Sie haben ihn nicht verdient.

Im Voraus gestehe ich, dass ich morgen früh, wenn ich zur Arbeit gehe, Eier gegen Ihr Haus werfen werde.

Grace

Das Telefon klingelte. Ach ja, ich hatte vorhin den Anrufbeantworter auf »Laut« gestellt. Ich selbst bin am Apparat! Nein, natürlich ist es Mum. Wir haben die gleichen Stimmen. Ich muss abnehmen. Sie würde sich Sorgen machen, wenn ich nicht zu Hause wäre.

»Bist du da, Rachel, Liebling?«, höre ich meine Stimme, und doch nicht meine eigene, durch den Flur schallen.

Ich lege den Deckel auf die Schachtel, schiebe sie wieder hinter die Bücher, gehe durch den Flur zum Telefon. Ich überlege, ob ich Mum von der Spukschachtel erzählen soll, beschließe aber, lieber doch nichts davon zu sagen.

Ich unterhalte mich eine Weile mit Brody. Das heißt, ich rede. Er grunzt ab und zu, und schließlich sagt er: »Hör mal, Rach, ich sitze gerade an einem Spiel, und das kann man nicht unterbrechen …«

Ich sage: »Das ist relevant für mich, weil …«

Dieses Wort sage ich unwahrscheinlich gern. Ich verwende den Ausdruck bei jeder sich bietenden Gelegenheit.

Er sagt: »Es ist ein geliehenes Spiel und ich habe es nur über Nacht …«

Ich kapiere den Hinweis und lege auf.

Auch Brody war früher ein Streber. Ich weiß noch, einmal war eines Morgens ein lauter Knall aus seinem Zimmer gekommen. Mum und ich liefen hin und fanden Brody bewusstlos auf dem Boden liegen.

Als er zu sich kam, erklärte er uns, er hätte im Halbschlaf gesehen, wie plötzlich die Wand anfing zu schimmern. Er hätte eine ganze Zeit hingeschaut, sagte er. Am Ende war er zu dem Schluss gekommen, dass es ein Wirbel sein musste, der in eine andere Dimension führte.

Na klar! So was kommt ja am laufenden Band vor.

Deshalb hatte er natürlich versucht, hindurchzuspringen. Es stellte sich heraus, dass es absolut kein Wirbel in eine andere Dimension war, sondern nur die Sonne, die durch die Bäume und das Fenster schien und die einen Schimmer an der Wand verursacht hatte.

Ich hatte gedacht, Mum würde ihm danach für eine Weile seine Sciencefiction-Bücher verbieten, aber das tat sie nicht. Sie sagte: »Der Junge ist ja wohl nicht so dumm, sich zweimal mit dem Kopf gegen seine Zimmerwand zu werfen!« Sie hatte Recht.

Mit dreizehn, vierzehn Jahren entdeckte Brody die Coolness. Er fand zu einer unterkühlten Gleichgültigkeit und verlor die Fähigkeit, mehrere Wörter hintereinander zu einem Satz zu reihen. Anscheinend ist es diese Eigenschaft, die »cool« bezeichnet: so wenig wie möglich sprechen. Es verleiht einem etwas Geheimnisvolles.

Nach dem Telefonieren mache ich mich an den Abwasch, und plötzlich kommt mir der Gedanke, dass ich überhaupt nichts weiß von dieser Frau, die da im Zimmer nebenan schläft.

Bis jetzt ist sie wie ein unbeschriebenes Blatt Papier, jemand ohne Persönlichkeit, es gibt nur die Hinweise, die ihr schönes Haus verraten.

Bis zu diesem Augenblick habe ich mir dieses Haus

nicht wirklich als »das Haus von Grace« vorgestellt. Ich weiß, dass es ihr gehört, aber ich habe an die Grace, der dieses Haus gehört, und an die Grace, mit der ich jeden Tag zusammen bin, nicht wirklich als an ein und dieselbe Person gedacht. Bis zu diesem Augenblick bin ich nicht auf die Idee gekommen, mich zu fragen, wie Grace war.

Ich räume das Geschirr weg, dann gehe ich langsam durch das Haus und suche nach Hinweisen, die mir mehr über ihren Charakter sagen können.

Wer ist diese Frau?

Ich suche nach Zeichen, die ich vielleicht übersehen habe. Ich weiß, dass sie einen kostspieligen Geschmack hatte. Sie besitzt schöne Dinge. Sie hat schöne Kleider getragen. Ihr Schrank hängt voller Seidenblusen und dunkler Hosenanzüge, aber alles sieht neu aus wie in einem Geschäft und ganz anders als die Sachen, die ich ihr immer anziehe.

Als ich herkam, trug sie einen Trainingsanzug, und seitdem habe ich ihr Trainingsanzüge angezogen. Ein ganzer Schubkasten in ihrem Schrank ist voll mit diesen Dingern. Aber sie sind ganz und gar nicht wie die Hosenanzüge. Vor allem sind es Billigmarken. Inzwischen denke ich, dass sie erst nach der Verletzung angeschafft worden sind, weil sie bequem an- und auszuziehen sind. Ich glaube nicht, dass Grace sie selbst ausgesucht hat.

Ich öffne die Schubkästen in ihrem Schrank und suche nach einem alten, bequemen Kleidungsstück. Hatte sie nicht einen Lieblingspulli oder eine Jacke?

Jeder hat doch eine Lieblingsjacke, die er zu Hause immer trägt. Sie ist vielleicht uralt, fleckig und fadenscheinig, aber sie ist bequem. Hier ist ein Hinweis auf ihren Charakter – Grace muss schnell weggeworfen haben, was alt und abgetragen war. Ob sie die gleiche Einstellung auch Menschen gegenüber hatte?

Die Bücher im Haus sind bis auf die im Arbeitszimmer ledergebundene Klassiker und Foto- oder Kunstbände auf Hochglanzpapier. Sogar die Kochbücher sind ausnahmslos gebunden. Keines davon sieht auf irgendeine Art zerlesen oder abgenutzt aus. Hatte sie ein Lieblingsbuch? Ein Lieblingsrezept?

Wer ist Grace?

Ich betrachte die Bilder im Haus. Von Grace gibt es kein einziges. An jeder Wand im ganzen Haus sind Bilder. Der Flur hängt voller Bilder, alle schön ordentlich in einer Reihe. Viele stilvolle Drucke sind dabei, aber keine persönlichen Fotos. Gäbe es Fotos von Grace, könnte ich verschiedene Gesichtsausdrücke von ihr sehen.

Das ganze Haus wirkt künstlich, wie aus einem Möbelkatalog. Es könnte ein Haus sein, das von verschiedenen Benutzern nur zeitweise bewohnt wird, ein sehr teures Haus.

Wie unbefriedigend.

Ich weiß, warum ich nicht schon früher über Grace nachgedacht habe. An diesem Haus ist nichts Persönliches. Alles ist schön und in peinlich gepflegter Ordnung zur Schau gestellt, deshalb gibt es keinen Hinweis auf das Leben des Menschen, der hier wohnt.

Ich frage mich, ob das mit Absicht so war. Alles passt zusammen. Alles ist dekorativ. Alles, von den Quastenkordeln, die die Vorhänge halten, bis zu den Messinglichtschaltern. Das ganze Haus ist wie ein Bühnenbild. Es ist, als hätte Grace nicht gewollt, dass man etwas anderes von ihr kennt als den äußeren Schein, das Bild, das sie für die Öffentlichkeit geschaffen hatte. Warum?

Es fasziniert mich.

Und jetzt diese Schachtel, randvoll mit persönlichen Dingen.

Bevor ich ins Bett gehe, setzte ich mich neben Grace und sehe ihr beim Schlafen zu. Sie sieht so friedlich, so unschuldig, so rein aus.

Schneewittchen.

Ob sie träumt?

Ich sehe genauer hin. Um ihren Mund und zwischen den Augenbrauen sind kleine Fältchen, die mir bis jetzt nicht aufgefallen sind. Sie hat also gelacht, sie hat die Stirn gerunzelt. Ich frage mich, ob sie jemals wieder lachen und die Stirn runzeln wird.

Morgen werde ich die gelbe Nachthemdfrau von nebenan fragen, ob ihr Haus einmal mit Eiern beworfen wurde.

14

Heute Morgen hat mich Gummihandschuh besucht. Warum? Warum mich? Ich kann sie nicht leiden.

Sie sagte, sie habe eine Auseinandersetzung mit Brioney gehabt, und sie sei gekommen, um mich zu warnen, dass Brioney kommen und mich bitten könnte, Graces Nähmaschine benutzen zu dürfen.

Grace hat genäht?

Falls sie käme, solle ich sie ihr auf keinen Fall leihen. Charity habe die Nase voll davon, dass Brioney sich immer Sachen ausleihe. Solle sie sich selber kaufen, was sie brauche.

Sie hatte den »kleinen Jeremy« dabei. Er brachte den ganzen Vormittag damit zu, dass er Prickles herumjagte und ihn am Schwanz zog. Prickles flüchtete aufs Fensterbrett, von wo er verwundert auf das unangenehme Kind hinunterblinzelte. Seinen langen schwarzen Schwanz ließ er außerhalb von Jeremys Reichweite hin und her sausen.

Charity erklärte, Jeremy würde Tiere sehr lieben. Er sei sehr gut zu Tieren.

Offensichtlich sei Brioney einfach dumm, und es sei nun höchste Zeit, dass sie den Tatsachen ins Auge sehe. Jeder wisse, dass dieser Mann, mit dem sie zusammenlebe, nichts tauge. Charity sei eben eine fürsorgliche

Schwester. Charity wolle nur das Beste für Brioney. Es würde ihr fast das Herz zerreißen, dass Brioney noch immer nicht die Freude an eigenen Kindern erlebt habe, und dass sie diese Freude nie erleben werde, wenn sie bei diesem Mann bliebe. Brioney würde schließlich nicht jünger. Aber heutzutage bekämen ja viele ältere Frauen Kinder.

Ich sehe ihr beim Reden zu und begreife, dass sie es ernst meint. Charity möchte, dass Brioney Kinder bekommt. Sie streiten über alles Mögliche, aber unter der Oberfläche wünscht Charity ihrer Schwester Kinder. Sie hält es mit ganzer Aufrichtigkeit für etwas Großartiges und ist Brioney böse, weil die nicht zusieht, dass sie Kinder bekommt.

Charity sagt, sie fände es schön für den kleinen Jeremy und für Bianca und Simone, einen kleinen Cousin zu haben, mit dem sie spielen könnten. Jeremy würde Babys sehr lieben. Er sei sehr nett zu kleineren Kindern.

Ich hoffe, er ist zu kleineren Kindern netter als zu Tieren.

Am liebsten würde ich ihr sagen, dass, obwohl für Charity Kinder etwas Großartiges seien, Brioney möglicherweise keine haben wolle. Vielleicht würde es viele Probleme lösen, wenn sich Charity an die Vorstellung gewöhnen könnte, dass es eben Frauen gibt, die keine Kinder wollen.

Ich dachte an das Gespräch mit meiner Mutter, an ihre Ansicht, dass man Leuten nicht sagen soll, wie sie zu leben haben. Es war klar, dass Charity mich nicht um Rat fragte, also sagte ich nichts und hörte nur zu.

Charity hatte die Hoffnung, dass ihre Kinder vielleicht einmal mit kleinen Cousins spielen könnten, schon fast aufgegeben. Grace sei vor dem Unfall schwanger gewesen, aber natürlich habe sie das Kind verloren, und inzwischen habe man ihr die Gebärmutter entfernt.

»Grace war schwanger?«

»O ja. Wir haben es im Krankenhaus erfahren. Es war mitten in der Nacht. Das weiß ich, weil ich den Babysitter anrufen musste. Ich konnte unmöglich selbst fahren. Ich war völlig durcheinander. Wir waren alle im Krankenhaus. Ich hatte kein Make-up im Gesicht. Ich war in heller Aufregung. Ich hatte nicht einmal Zeit gehabt, ein bisschen Lippenstift aufzutragen. Ich muss entsetzlich ausgesehen haben.

Der Arzt kam heraus und sagte, sie habe bei dem Unfall leider das Kind verloren. Wir waren alle überrascht. Keiner von uns hatte es gewusst. Sie hatte keinem Menschen etwas gesagt. Aber eigentlich überraschte es uns doch nicht, schließlich war es ein Kind der Liebe. Kind der Liebe klingt so viel hübscher als uneheliches Kind, finden Sie nicht?«, sagt Charity und klopft mir auf den Arm.

»Wir hatten damals keine Ahnung, von wem das Kind war, und, ich meine, niemand weiß es genau, aber kurz vor dem Unfall hatte sich Mr Prestons Frau von ihm getrennt. Wir vermuten also, es muss sein Kind gewesen sein.« Charity schüttelte den Kopf und lockerte an den Seiten ihr Haar mit den Fingern. »Und er kümmert sich so fürsorglich um sie und ihre Dinge. Er ist wie …«

»Ein großer knurriger Bär«, sagte ich in Gedanken.

Erst als Charity vor Lachen gluckste, merkte ich, dass ich laut gesprochen hatte.

»Ho! Ho! Ein großer knurriger Bär! Genau! Das wird Brioney gefallen … Wenn ich überhaupt je wieder mit ihr rede.«

Charity fuhr sich mit einem langen, manikürten Fingernagel geziert über das Auge. Ihre Mundwinkel zogen sich auf sehr unattrakive Art nach unten. Ich hatte das Gefühl, sie sei tief verstört. Ich hatte das Gefühl, sie würde jeden Moment in Tränen ausbrechen.

Sie tut, als sei sie nicht verstört, aber das stimmt nicht. Grace hat ihrer eigenen Schwester nichts von dem Kind erzählt, dieser Schwester, für die Kinder alles bedeuten.

»Danach gaben wir dem Arzt die Erlaubnis, sie zu … Sie verstehen, sie zu operieren. Ich meine, es ist ja doch sehr viel einfacher. Und sie wird wahrscheinlich ohnehin keine Gelegenheit mehr haben, nicht wahr.«

Charity ist Grace böse, weil sie ihr nichts von dem Kind erzählt hat. Sie kann nicht mit ihr darüber sprechen, also lässt sie ihren Ärger an Brioney aus.

Wie man sieht: Ich bin inzwischen Psychologin.

15

Heute früh bin ich zur Uni gegangen. Als ich durch die Gartentür ging, verließ auch der Nachbar gerade sein Haus.

»Entschuldigen Sie«, rief ich.

»Was?«

Er sah mich streitlustig an.

»Ist Ihr Haus schon mal mit Eiern beworfen worden?«

»Was?«

»Ist Ihr Haus schon mal mit Eiern beworfen worden?«

»Was faselst du da, dumme Göre?«

Sie hat es nicht getan. Er würde sich sonst sicher daran erinnern.

Ich überlege schnell. »Ich habe nur gehört, dass man hier in der Gegend schon willkürlich Häuser mit Eiern beworfen hat. Das ist alles.«

Er sieht mich finster an und kehrt mir den Rücken.

Hiro begrüßt mich auf dem Gehweg vor der Universität. Ich frage mich, wie lange der arme Kerl sich schon am Eingang herumgedrückt hat.

Ich beschließe, eine neue Methode auszuprobieren, um das Rotwerden zu vermeiden. Kaum bin ich in seiner Hörweite, fange ich an zu reden, und ich höre nicht wieder auf, bis er geht. Auf diese Weise kann er nichts sagen, und ich muss nicht verlegen werden, weil ich ihn nicht verstehe.

»Hiro!«

Und wenn er gar nicht Hiro heißt? Hilfe, ich werde rot.

»Es macht dir doch nichts aus, dass ich dich Hiro nenne? Ist natürlich ein nett gemeintes Wort.«

Alles wieder im Griff, Röte lässt nach.

»Wie ist's dir ergangen, gut? Schön. Macht's dir Spaß an der Uni? Du siehst aus, als macht's dir Spaß. Hoffentlich hat dir meine Farbaufteilung gefallen. Bei den Notizen, meine ich. Es geht nichts über leuchtende Farben, sage ich immer. Da klappt die Lernerei besser, findest du nicht? Ich kann ganz gut lernen. Du siehst auch aus wie einer, der gut lernt. Lernst du gut, ja? Du siehst jedenfalls so aus, und darauf kommt es an, oder? Gelb ist wahrscheinlich am besten, aber spätabends ist es nicht so gut für die Augen, habe ich festgestellt. Man muss schließlich auf seine Augen achten. Ich gehe die gelb markierten Abschnitte immer tagsüber durch. Also, war nett, sich mit dir zu unterhalten, Hiro, aber jetzt muss ich mich sputen. Blöder Ausdruck, ich weiß, aber alle sagen es. Na, ich muss – die Arbeit ruft. Rabotti, rabotti. Falls du noch mehr Notizen brauchst, du weißt ja, wo du mich findest. Irgendwo hier bin ich immer, wie du wahrscheinlich schon mitgekriegt hast. Tschüss!«

Na, also! Das ging doch sehr gut.

Als ich nach Hause kam, ging ich mit Grace zum Essen. Ich muss zugeben, dass ich sie bis zur Hauptstraße und zurück zu Fuß gehen ließ, damit sie müde genug für einen Nachmittagsschlaf wäre und ich wieder etwas aus ihrer Spukschachtel lesen könnte.

Grace war also schwanger gewesen, wahrscheinlich von Mr Preston. Sie hatten sich also geliebt. Trotzdem, ich hätte es nicht gedacht. Wenn zwei Menschen eine intime Beziehung haben, wenn sie einander lieben, gibt es keinen körperlichen Abstand zwischen ihnen wie unter Freunden, Verwandten oder Bekannten. Wenn sie einander berühren, ist das etwas Vertrautes, etwas Selbstverständliches sogar. Doch wenn Mr Preston Grace an der Hand nimmt, wenn er ihr aus dem Sessel hilft oder sogar auch beim Tanzen, ist seine Berührung zurückhaltend, nicht vertraut. Es ist eindeutig ein körperlicher Abstand zwischen ihnen.

Wir setzten uns in ein kleines Café und beobachteten die Leute, die vorbeigingen. Es belustigt mich immer, wie die Leute auf Grace reagieren. Die Kellnerin, die weltläufig und tolerant tat, steckte Grace die Serviette in den Ausschnitt und brüllte ihr ins Ohr: »ALLES IN ORDNUNG, LIEBE?« Sie war eine dieser sonnengebräunten Frauen mit nachgezogenen Augenbrauen und einer Menge Armreifen am Handgelenk.

»ALLES IN ORDNUNG, LIEBE?«

Schließlich sagte ich: »Hören Sie, sie hat nichts mit den Ohren.«

»Ich will ja nur behilflich sein«, sagte die Kellnerin. Immerhin funktionierte der Trick mit dem langen

Fußmarsch. Ich führte Grace nach Hause und brachte sie ins Bett.

Ich machte mir ein Glas Kaffee. Das ist meine neueste Erfindung. Ich mache mir Kaffee in einem Halbliterglas, dann muss ich nicht noch einmal aufstehen. Obwohl die Sache zwei Nachteile hat. Erstens wird der Kaffee gegen Ende ziemlich kalt, wenn ich ihn nicht schnell genug trinke. Zweitens, wenn ich zu schnell trinke, werde ich ein bisschen aufgedreht und kann mich schlecht konzentrieren.

Ich gehe also mit meinem Halbliterglas Kaffee in Graces Arbeitszimmer. Ich öffne die Spukschachtel, nehme mir eins von den Papieren und setze mich auf die Treppe vor der Haustür.

ENTWURF
Alistair,
zuerst möchte ich dir danken, dass du mit deinen Sorgen zu mir gekommen bist. Deine Niedergeschlagenheit fällt mir schon seit geraumer Zeit auf. Ich fühle mich geehrt.

Zweitens, als deine Mitarbeiterin weiß ich, wie viel Hingabe und Engagement erforderlich sind, um sich ganz auf diesen Job einzulassen. Ich hoffe, du findest es nicht herablassend von mir, wenn ich dir von Herzen meine besten Wünsche ausspreche.

Bitte erlaube mir, dass ich dir drei Ratschläge gebe:
Erstens: Sei mutig. Versäume keine Gelegenheit, deinen Verstand leuchten und funkeln zu lassen. Geh das Risiko ein. Nimm die Herausforderung an oder – falls

sich keine ergibt – suche selbst nach Herausforderungen.

Zweitens: Gib dich nicht mit Mittelmäßigkeit zufrieden. Mach dich auf die Suche nach einem Traum und verfolge ihn. Achte darauf, dass dich jede deiner Entscheidungen diesem Ziel näher bringt.

Und drittens: Amüsiere dich. Nimm dir Zeit zum Spielen, denn wenn du nicht aus dem Bauch heraus Tränen lachen kannst, machst du aller Wahrscheinlichkeit nach etwas falsch.

Ich werde dir nicht ausdrücklich Glück wünschen. Ich glaube nicht daran, dass Glück eine dringend erforderliche Zutat zum Erfolg ist. Stattdessen wünsche ich dir die Klugheit, immer gute Entscheidungen zu treffen. Ich bin überzeugt, du wirst es großartig machen.

Grace

Das kommt mir bekannt vor. Ich sitze auf der vorderen Veranda und trinke schönen heißen Kaffee aus meinem Halbliterglas. Im Garten ist alles ziemlich trocken, ich könnte ein bisschen gießen.

Ich gieße also den Vorgarten. Grace hat auf ihrem Wasserhahn einen kleinen Messingfrosch. Tja, das ist Liebe zum Detail. Ich lasse meine Gedanken schweifen. Demnächst muss ich mich über die Beete hermachen und das Unkraut jäten. An den Nachmittagen habe ich den Garten öfter gegossen. Er sieht schon besser aus.

Gänseblümchen nicken unter dem Sprühregen. An den Petunien sind Ansätze von frischen kleinen Trie-

115

ben. Ich schwenke den Schlauch so, dass der Wasser-strahl ein großes R für Rachel malt. Alle Blumen hier sind rosa, weiß oder blau. Alles passt zusammen.

Grace war schwanger.

Prickles lehnt gegen mein Bein und putzt sich. Er schaut auf und zwinkert mir mit einem seiner großen grünen Augen zu.

»Blinzel mich nicht so an, du frecher Teufel.«

Ich reibe ihm mit den Fingerknöcheln über die Stirn. Er stellt die Ohren zur Seite und stolziert davon.

Da ist noch etwas, das nicht zusammenpasst. Grace ist so ordnungsliebend. Eine Schwangerschaft würde sie peinlich genau geplant haben. Wenn sie schwanger war, warum gibt es dann keine Babysachen im Haus? Warum war mein Zimmer als Gästezimmer eingerichtet? Es gab nichts, was darauf hindeutete, dass sie ein Kind erwartet hatte.

Jetzt fällt es mir ein. Die Sätze aus dem Briefentwurf von Grace habe ich schon einmal gehört. Ich sehe im Geist Mr Preston am Rednerpult stehen, ich sehe ihn sprechen, ich höre diese Worte aus seinem Mund kommen.

Es war Wort für Wort dasselbe. Ich kann es nicht glauben. Ich weiß noch, wie beeindruckt ich war, als ich sie bei meiner Abschlussfeier gehört hatte. Alles kann »pipileicht« sein, wenn man nur wiederkäut, was ein anderer gesagt hat. Ich fühle mich betrogen. Ich finde, dass Grace betrogen worden ist. Es waren ihre Gedanken und er hatte sie für seine eigenen ausgege-ben.

Ich erinnere mich, wie ihm alle applaudiert haben. Ich erinnere mich, wie er so bescheiden den Kopf geschüttelt hat. Es hatte so spontan, so natürlich geklungen. Wie kann das sein? Ich erinnere mich auch, wie er so leidenschaftlich über sie und ihr Leben gesprochen hat.

Ich drehe das Wasser ab und wickle den Schlauch wieder zu einer ordentlichen Rolle auf.

Ich nehme einen großen Schluck Kaffee. Er ist kalt. Igitt.

Langsam gehe ich wieder ins Haus und setze mich in das Zimmer, in dem Grace schläft. Sie hat so zarte helle Haut, fast durchscheinend. Ich sehe ihre blauen Adern am Hals und auf der Stirn. Ich sehe das feine, leicht gewellte Haar um ihr Gesicht, um ihre Wangen und das Kinn. Sie ist sehr schön, schön im Sinn von gut aussehend, nicht im Sinn von hübsch.

»Kannst du mich hören?«, frage ich leise. »Kriegst du mit, was um dich herum vorgeht? Ist Leben in dir?«

Sie macht die Augen auf und *sieht mich an.* Sie waren geschlossen, jetzt sind sie weit offen und auf mich gerichtet. Für einen Moment meine ich etwas hinter ihren Augen zu sehen. Nur für einen Moment.

Ich stehe abrupt auf. Mein Herz klopft wie verrückt. Ihre Augen folgen mir.

Bei meiner plötzlichen Bewegung habe ich ein bisschen kalten Kaffee verschüttet, er tropft auf meinen Schuh. Ich sehe hin.

Als ich wieder zu Grace schaue, sind ihre Augen geschlossen.

Ich bleibe stehen und betrachte sie noch einen Moment. Ich habe Herzklopfen. »Scheiße«, sage ich laut. Irre. Es war so irre.

Auf Zehenspitzen gehe ich ins Arbeitszimmer und beobachte, während ich um das Bett herumgehe, Graces Gesicht. Ihre Augen bleiben geschlossen.

Ich lege den Zettel in die Spukschachtel zurück, nehme den nächsten und lese.

Was ich in meiner Abschiedsrede nicht gesagt habe

Andre, du kleiner Hitler, ich danke dir, dass du mir beigebracht hast, wie man nicht Manager wird, es war alles, was man sich nur wünschen kann.

Du leitest deine Abteilung wie ein Gefangenenlager. Du vernichtest jeden Anflug von Kreativität, jedes Fünkchen von Inspiration, das deine getretene und unterdrückte Belegschaft an den Tag zu legen wagt.

Ich stelle mir vor, dass du sehr kleine Genitalien haben musst. Ich hoffe bei Gott, dass ich nie eine unfreiwillig Beteiligte in deinen verdorbenen Gedanken war.

Du bist ein Wiesel. Schlimmer, du bist ein Wiesel, vor dem selbst andere Wiesel zurückschrecken.

Und du, Dimitre, bist so träge, dass du nicht einmal die Energie aufbringen konntest, meine Ideen zu stehlen. Du bist feige, schwach und dumm. Du bist so sichtlich unfähig, dass ich mir nicht einmal die Mühe gemacht habe, auf deine Unzulänglichkeit hinzuweisen. Es wundert mich, dass du die Entschlossenheit besitzt, dich jeden Tag anzukleiden.

Ich freue mich, dass ich euer tiefes Unvermögen nicht ausgleichen muss.

Mein Schlusswort an jeden von euch:

André, ich hoffe, dass das Team deiner Abteilung eine leidenschaftliche, furchtbare Revolution vorbereitet und dass deine Karriereaussichten gewaltsam in blutige, unverwertbare Stücke gerissen werden.

Dimitre, du musst jeden Morgen aufwachen und jeden Abend ins Bett gehen und immer derselbe bleiben. Schlimmeres brauche ich dir nicht zu wünschen.

16

Mr Preston besuchte Grace am Abend. Ich hatte aber die Krankenschwester angerufen, damit ich eine Weile lernen und vielleicht schon ein Stück im Voraus lesen konnte. Sie machte einen Spaziergang mit Grace.

Jan nennt mich immer noch Darl. Es muss viel einfacher sein, als sich die Namen der Leute zu merken. Ich könnte mir ja einen allgemeinen Spitznamen überlegen, mit dem ich jeden anrede – Täubchen zum Beispiel, oder ist das zu vertraulich? Vielleicht lieber Kollege.

Als Mr Preston sah, dass Grace nicht zu Hause war, wollte er wieder gehen, aber ich bat ihn auf einen Kaffee herein. Ich warf die Kaffeemaschine an und nahm zwei Tassen aus dem Schrank. Grace hat diese schicken Tassen und Untertassen aus Edelstahl. Sie gefallen mir. Ich wollte gern, dass Mr Preston mir mehr über Grace erzählte. Sie kam mir vor wie eine raffinierte Hexe – eine Hexe mit einem ausgezeichneten Geschmack. Sie war mir sympathisch.

»Setzen Sie sich eine Weile zu mir, Kollege«, sagte ich.

»Wie bitte?«, fragte er verblüfft.

»Ich probiere nur gerade ein paar Namen aus, mit denen ich die Leute anreden könnte«, erklärte ich. »Wie es Jan immer macht.«

»Ach so, klar«, antwortete er und setzte sich. »Wie wär's mit Kumpel?«

Ich überlegte einen Moment. »Kumpel ist gut. Darf ich Sie Kumpel nennen?«

»Sicher.«

Wir schwiegen eine Weile und tranken Kaffee.

»Wie war sie? War sie nett?«, fragte ich ihn.

Er lachte. »Nein. Nett ist sie nicht. Sie ist vieles, aber nicht *nett*. Sie hat jeden kritisiert«, sagte er und griff nach der Kaffeekanne. »Grace hat als Sekretärin angefangen, PA, Personal Assistant würde man das, glaube ich, heute nennen. Sie war sehr gut, sehr fähig. Bevor sie für uns arbeitete, hat sie für einen meiner Freunde gearbeitet. Wirtschaftsprüfer war der. Sie war immer im Rechts- oder im Finanzwesen.«

Also hatten sie zusammengearbeitet.

Ich gieße ein bisschen Milch in meine flippige Kaffeetasse.

Mr Preston lehnt sich zurück und schlägt die Füße übereinander. »Er beschwerte sich immer über sie, dieser Freund. Er fand, sie sei zu offen. So hat er es natürlich nicht formuliert. Wir gingen öfter mal einen trinken oder spielten miteinander Golf, und dabei erzählte er uns Geschichten über sie. Er hat sie schließlich entlassen. Anscheinend war sie ›charaktermäßig‹ nicht so, wie er sich das vorgestellt hatte. Sie war unverschämt und schwierig, und sie weigerte sich, Kaffee zu kochen. Was das Kaffeekochen anging, war sie besonders störrisch. Auch, als sie dann bei mir arbeitete, wollte sie erst keinen Kaffee machen.«

121

Also hatte sie *für* ihn gearbeitet. Er war ihr Chef.

Mr Preston gießt sich Kaffee ein und tut einen Löffel Zucker dazu. »Es heißt, zwei von den Leuten hätten sich besonders oft über sie beschwert. Zwei junge Wirtschaftsprüfer. Ressortleiter oder so was. Über sie beschwert haben sich alle irgendwann mal, diese beiden aber ganz besonders. Ich glaube, es waren Italiener, oder waren es Griechen?« Er zog die Schultern hoch. »Jedenfalls aus einem Mittelmeerland waren sie. Grace hat ihnen die Hölle heiß gemacht. Sie wollte nichts für sie übernehmen. Schließlich hat man sie rausgeschmissen. Die beiden Kerle haben bei ihrem Abschiedsessen wahrscheinlich ›Dingdong, die Hex'‹ ist tot‹ gesungen. Zartfühlend, wie sie waren.«

Andre und Dimitre?

Prickles kommt und springt auf Mr Prestons Schoß. Tief in Gedanken reibt er der Katze mit den Fingerknöcheln über den Kopf. Prickles schließt die Augen und lächelt und schnurrt.

Launische Katze.

Mr Preston trinkt einen Schluck Kaffee. »Danach war sie eine Weile auf Arbeitssuche. Wir schickten sie zu anderen Leuten, die wir kannten. Selbst hatten wir zu der Zeit keine Stellen frei. Aber …«

Wer ist wir?

»Jeder wusste, dass sie gut war, aber sie war zu freimütig. Aufrichtigkeit war für eine Sekretärin damals ein Verbrechen, das mit dem Tod bestraft werden musste. Ehrlich gesagt, es ist noch immer so.«

Ich nippe an meinem Kaffee und mache »Schschhh«,

weil er zu heiß ist. Es ist ein ähnlicher Laut wie »Schschhh, hab mich an der Papierkante geratscht.« Im Zusammenhang mit einem leichten Stirnrunzeln bedeutet »Schschhh« in allen Kulturen der Welt eine leichte Verletzung. Es ist allgemein verständlich wie Lachen. Aber ungeeignet bei ernsten Verletzungen. Niemand sagt »Schschhh, ich hab einen Arm verloren«, oder »Schschhh, ich habe eine Kugel im Fleisch«.

Mr Preston klopft Prickles auf den Kopf, er streichelt nicht, er klopft, und Prickles streckt seine kleine Zunge heraus und massiert damit hingebungsvoll seine kleinen Pfoten. Ich kann es nicht glauben! Grace hätte ihn Fickle nennen sollen – der Launische.

»Am Ende bekam sie eine Stelle bei einem der Golf-freunde. Sie sagte, er habe sie beim Vorstellungsgespräch gefragt, ob sie Kontakt zu ihren früheren Arbeitgebern habe, und sie habe Ja gesagt. Ein paar Wochen danach schob er ihr die Hand unter den Rock. Als sie protestierte, sagte er: ›Sie haben beim Vorstellungsgespräch doch gesagt, Sie hätten Kontakt mit ihren Chefs.‹ Sie kündigte, sie provozierte heftige Auseinandersetzungen, aber die Sache wurde vertuscht.«

Mr Preston trinkt wieder einen Schluck Kaffee.

»Wir haben nicht mehr miteinander Golf gespielt. Danach gab ich ihr eine Stelle. Eine von unseren Mitarbeiterinnen war in Mutterschaftsurlaub gegangen.«

Mr Preston schubst Prickles von seinem Schoß und wischt sich die Katzenhaare von der Hose. Marschiert Prickles etwa eingeschnappt davon? Nein. Er hebt seine kleine Pfote und stupst Mr Preston ans Bein wie Oliver. »*Bitte, Sir, kann ich noch etwas haben?*«

Sanft schiebt Mr Preston die Katze weg. Prickles reibt sein Gesicht liebkosend gegen Mr Prestons Hand, dabei wölbt er den Rücken und dreht sich im Kreis.

»Sie war nicht nett, aber sie hatte es auch nicht leicht. Sie war eine unverheiratete Frau, auf sich allein gestellt. Egal, was man über gleiche Chancen so hört, es gibt da immer noch eine bestimmte Denkweise. Man darf nicht vergessen, dass unverheiratete Frauen noch vor dreißig Jahren nicht einmal Kredit bei der Bank bekamen. Sie mussten verheiratet sein oder zu Hause in Erwartung der Ehe leben.«

Mr Preston sah mich an und lächelte. »Grace gehört der Generation an, die Veränderungen in der Einstellung bewirkt hat. Veränderungen, die ihr heute genießt.«

Da haben wir's: Die Frauenbewegung Teil eins – *Gastredner: Angelsachse mittleren Alters, Mittelstand. Na klar.*

Mr Preston beugte sich vor und hob die Katze auf, die sich um seine Knöchel geschlängelt hatte. »Grace war nicht, was man mit ›nett‹ bezeichnen würde, aber sie war eine ehrgeizige, intelligente Frau. Sie ging abends zur Universität und studierte Jura. Sie wollte Partner werden. Ehrgeizige und intelligente Frauen können einem Mann Angst machen, selbst heute noch. Aber heute haben Frauen doch hin und wieder Aufstiegschancen. Grace hatte nie eine. Weil man ihr diese Chance nie gegeben hat, war sie verbittert.«

Und wie!

»Haben Sie ihr denn eine Aufstiegschance geboten, als sie für Sie arbeitete?«, fragte ich herausfordernd.

Mr Preston runzelte die Stirn. »Das lag nicht in meiner Kompetenz.« Er kraulte die Katze unter dem Kinn und setzte sie wieder auf den Boden.

»Wir waren zu der Zeit die führende Kanzlei. Wir sind es noch. Meine Familie lebt schon immer hier. Mein Großvater vertrat die Großväter der Klienten, die ich heute habe. Als Grace kam, lernte sie alle Klienten kennen. Sie kümmerte sich vorbildlich um sie, auch um die schwierigen. Ich war mir der wichtigen Rolle, die Grace bei uns spielte, immer bewusst. Sie war sehr gut. Sie kannte sich mit dem Rechtssystem aus. Sie beherrschte ihren Job, aber sie wollte mehr.

Wir kümmerten uns immer um unsere Belegschaft. Grace bekam eine Gehaltserhöhung nach der anderen, aber sie wollte nicht mehr Geld, sie wollte mehr tun. Sie wollte sich als Anwältin selbstständig machen. Sie fand, das sei ihr gutes Recht. War es vermutlich auch, aber es war einfach nicht *üblich*. Mein Vater sagte immer, dass die Klienten sie nicht akzeptieren würden. Er sagte, ihr fehle die Erfahrung. Außerdem machte sie ihre Arbeit gut, wirklich gut. Wir wollten sie nicht verlieren, deshalb zahlten wir ihr mehr – eine Summe, die sie sonst nirgendwo bekommen hätte. Wenn sie in einer anderen Kanzlei als Anwältin hätte arbeiten wollen, hätte sie wieder ganz von vorn beginnen müssen.«

»Sie müssen viel Zeit mit ihr verbracht haben«, hakte ich nach.

»Ja.« Mr Preston sah mir direkt in die Augen.

Was hast du heute für Unterhosen an?

Ich spürte, dass ich rot wurde. Ich nahm seine Tasse und brachte sie in die Küche.

Mehr würde ich heute nicht erfahren.

Nachdem Mr Preston gegangen war, wusch ich das Geschirr ab. Eigentlich hatte ich ein bisschen lernen wollen, aber dann fand ich mich plötzlich auf dem Weg in Graces Arbeitszimmer. Ich holte die Spukschachtel hinter den Büchern hervor, öffnete den Deckel und las.

Der Abendstern steigt nicht sehr hoch, wenn er erscheint.

Ich sitze hier und warte darauf, dass er sich zeigt.

Die Wolken glühen golden am Horizont. Bald werden sie in der Dunkelheit zergehen.

Ich war heute bei diesem Mann, zu dem Sie mich geschickt haben.

Ich ging mit erhobenem Kopf zu ihm und forderte ihn auf, mich zu »befragen«. Er saß da, rieb sich das Kinn und betrachtete mich wie ein Wesen aus der Fauna. Wie ein Stück Wild. Ich wusste nicht, ob er mich nach meiner Tippgeschwindigkeit oder nach meinen Sexpraktiken fragen würde.

Also fragte ich ihn.

Warum tun Männer das? Warum sitzen sie mit gespreizten Beinen im Sessel und stellen sich zur Schau? Ich habe nichts gegen ungehemmte Sexualität, aber ich meine, dass es dafür eine Zeit und einen Ort gibt.

Woher kommt diese Geringschätzung? Diese Kaffee-
koch-Erwartungshaltung?
Was gäbe ich nicht für einen Penis, jetzt, in dieser
Zeit der Arbeitssuche!
Da ist er. Der einzige Stern am Himmel. Dunkelheit
umhüllt die vorher goldgeränderten Wolken.
Warum tust du mir das an?

Ich legte die Zettel, die ich bis jetzt gelesen hatte, auf einen Stapel. Dann fand ich ein Stück Goldband in der Schachtel. Ich fragte mich, ob das Band irgendein Andenken war wie Kates Fahrkarte. Eine Erinnerung an eine bestimmte Zeit, einen Abschnitt in ihrem Leben, der ihr wichtig war – eine Erinnerung, die ihre Bedeutung nun für immer verloren hatte.

Ich saß am Schreibtisch und wickelte das Goldband um meinen Zeigefinger, spürte die raue Struktur an meinem Daumen. Wie kam Grace zu dem kleinen Goldband?

Ich band es um die Zettel, die ich bisher gelesen hatte.

Ich griff noch einmal in die Schachtel und zog ein Atelierfoto heraus, schwarzweiß mit gezacktem Rand. Es zeigte drei kleine, schüchtern lächelnde Mädchen. Das größte hatte ein Baby auf dem Schoß und hielt die Hand des Babys. Alle hatten kurzes, lockiges Haar. Ihre Wangen waren rosa angemalt, ihre Augen blau und die Falten ihrer kurzen Puffärmel mit weißem Farbstift nachgezogen, so dass sie schimmerten.

Das mussten Charity, Brioney und Angelica sein.

Und das Baby Grace. Ich hielt das Foto ganz nah an mein Gesicht und betrachtete es.

Ich weiß nicht, wie lange ich dasaß mit diesem Foto unter der Nase. Ich war wie in Trance. Ich studierte jeden Teil ihres Gesichts, ich versuchte, irgendeine Ähnlichkeit zu entdecken zwischen diesem kleinen Kind und der Frau, die ich versorge. Ich konnte sehen, dass sie es war, aber ich wusste nicht, warum.

Ich steckte das Foto unter das Band.

Ich zog das nächste Papier heraus, lehnte mich zurück und las.

Für A. Preston

Beiliegend Kopien der entsprechenden Korrespondenz sowie zweckdienliche Unterlagen zu Ihrer Einsicht bezüglich: Klientennummer 0829

Name der Klientin: Eleanor Samerchi (ausgesprochen »Samhersh«)

NOTIZ: MÖGLICHERWEISE BEVORSTEHENDE KATASTROPHE

Ich habe für Sie einen Termin um 9.25 vereinbart, erwarten Sie sie um 9.10.

Sie wird von ihrem Vater, Athol Porter, begleitet, an den Sie sich von Ihrer ersten Besprechung im September erinnern werden. Mr Samerchi ist zzt. geschäftlich in Übersee und wird am Dienstag zurück sein.

Ms Samerchi hat einen ganzen Roman zu ihren Klagen geschrieben. (Sie finden ihn beigefügt.) Ich habe die entsprechenden Abschnitte unterstrichen und die fünf wichtigsten Punkte zusammengefasst (bitte ach-

ten Sie auf die Notizen in Rot, es sind Antwortvorschläge). Falls sie diese nicht schluckt, greifen Sie auf Paragraph 12 in ihrem Vertrag zurück. Dank sei dem, der Paragraph 12 geschrieben hat!

Sie haben einen fiktiven Termin um 10.15, den Sie nutzen können oder nicht, je nachdem, ob Sie sich zurückziehen müssen, um den Fall neu zu überdenken. (Bitte verwenden Sie das übliche Zeichen.)

Ich bin ab 19 Uhr zu Hause, falls es telefonisch noch etwas zu klären gibt. Viel Überzeugungskraft!

Grace.

Während ich die Notiz unter das Band steckte und dann alles, was ich schon gelesen hatte, wieder in die Schachtel legte, fragte ich mich, warum sie diese Mitteilung aufbewahrt hatte.

Ich ging ins Wohnzimmer und sah nach Grace. »Wie wär's mit einem Bad?«, sagte ich.

Ich ließ Wasser für Grace ein, dann öffnete ich den Badschrank. Er ist voller Lotions, Cremes, Flaschen und Töpfchen. Ich gehe das Regal durch und drehe die Sachen so, dass ich die Etiketten sehen kann. Da gibt es Peelingcremes, Gesichtsmasken, Peelingmasken, Feuchtigkeitscremes, Duftöle, Tagescremes, Nachtcremes und Schaumbäder.

Hmm, da hat wohl jemand ein bisschen Angst vor dem Älterwerden?

Ich nehme eine Hand voll Flaschen heraus und stelle sie ins Waschbecken.

Ich gebe ein bisschen Jasmin-Badeöl ins Wasser, gehe

wieder ins Wohnzimer und öffne den CD-Schrank. Ich lege Chopin auf und ziehe Grace sanft aus ihrem Stuhl hoch. Ich führe sie ins Bad, kleide sie aus und helfe ihr in die Badewanne. Ich setze mich auf den Wannenrand und massiere eine Maske in ihr Gesicht. Ich falte ein Handtuch zusammen und lege es hinter ihren Kopf.

Grace liegt unter den Schaumblasen und sieht starr zur Decke.

»Gefällt dir das, Täubchen?«

Grace antwortet nicht.

Ich stehe auf und massiere mir selbst auch eine Maske ins Gesicht. Ich drehe das Wasser ab, gehe wieder ins Wohnzimmer und lasse die Badtür offen.

Dann gehe ich ins Arbeitszimmer und hole die Spukschachtel aus dem Regal. Ich nehme sie mit ins Wohnzimmer und stelle sie auf den Kaffeetisch.

Ich angle eine Ansichtskarte heraus. Auf der Vorderseite abgebildet ist ein Delphin in einem Becken, der hochspringt und einen Fisch fangen will, den ein Mann hält. Unten auf der Karte, auf Goldgrund geprägt, steht: Grüße aus Coffs Harbour.

Ich drehe die Karte um. Sie ist an Grace adressiert. Die Handschrift ist altertümlich, mit Schnörkeln und Schleifen an den Gs und Hs.

Hallo, meine Liebe,
  wir haben es sehr schön hier oben. Dein Vater hat, wie immer, so viele Bananen im Schokoladenmantel gegessen, dass ihm beinahe schlecht geworden ist.

Ich freue mich auf das Wiedersehen mit Tantchen Ida morgen. Wir werden kurz Rast bei ihr machen. Ich grüße sie schön von dir.

Gestern Abend haben wir in deinem Lieblingslokal gegessen, in diesem Fischrestaurant am Yachthafen.

Ich weiß, es klingt kitschig auf einer Ansichtskarte, aber ich wünschte sehr, du hättest dich in diesem Jahr entschlossen, mit uns zu fahren, Gracey. Urlaub würde dir gut tun. Es würde dich ein bisschen ablenken.

Viele liebe Grüße,
Mum

Ich saß da, betrachtete die Ansichtskarte, drehte sie in den Händen.

Als meine Maske getrocknet war, steckte ich die Karte in die Schachtel zurück und brachte sie wieder ins Arbeitszimmer.

Ich ging ins Bad und wusch mir die Maske aus dem Gesicht. Grace wusch ich das Haar. Ich nahm dazu einen großen Schwamm und drückte ihn über ihrem Kopf aus. Ich half ihr aus der Wanne und hüllte sie in einen großen, flauschigen Bademantel. Ich setzte sie auf den Toilettendeckel und massierte ihr Nachtcreme in Gesicht und Hals, dann massierte ich Feuchtigkeitscreme in mein eigenes Gesicht.

»So, jetzt sind wir schön!«, sagte ich zu Grace.

Ich zog ihr den Schlafanzug an und brachte sie zu Bett. Ich setzte mich neben sie und las ihr eine Weile vor. Prickles sprang aufs Bett und rollte sich in Graces Kniekehlen zusammen.

Graces Gesicht glänzte im Licht der Nachttisch-lampe.

Als sie schlief, ging ich durch das Haus, drehte die Lichter aus und sperrte die Türen ab. Dann ging ich auch ins Bett. Eine Weile lag ich auf dem Rücken, einen Arm unter den Kopf geschoben.

Ich dachte an die Ansichtskarte von Graces Mutter. Es war eine gewöhnliche Ansichtskarte, auf der alles stand, was Leute auf Ansichtskarten üblicherweise schreiben.

Allmählich döste ich ein. Es gibt kein besseres Mittel für einen guten, langen, erholsamen Schlaf, als sich ein bisschen zu verwöhnen.

17

Heute Vormittag bin ich mit Grace ins Kino gegangen. Im Einkaufszentrum, ungefähr zehn Minuten entfernt, ist eins von diesen Großkinos. Graces Haus liegt so zentral! Das Mädchen hat einen Blick für gute Wohnlagen.

Ich kleidete sie an, legte ihr Make-up auf und fönte sogar mit einer großen Rundbürste ihr Haar. Ich zog ihr keinen Trainingsanzug an. Im Schrank fand ich ein langes burgunderrotes Kleid, dazu zog ich ihr die neuen Schuhe an. Sie sah richtig gut aus.

Ich setzte sie ins Auto. Zum Glück ist es bis zum Kino nicht weit, ich habe ja nur einen Schnorchel. Bevor ich abfuhr, rollte ich ein Stück Papier kegelförmig zusammen und steckte es Grace in den Mund. Ich schloss ihre Finger darum, aber sie hielt die Papiertüte nicht richtig fest. Da legte ich den Schnorchel ins Handschuhfach.

Als ich die Karten kaufte, stand Grace am Rand der Eingangshalle und sah hinüber in die Spielautomatenhalle auf der anderen Seite des Gangs. Sie stand auf dem üblichen hässlichen Teppich, wie man sie in Kinofoyers immer sieht.

Während ich in der Schlange wartete, drehte ich mich immer wieder nach ihr um. Sie sah aus wie ein normaler, in Gedanken verlorener Mensch. Um sie herum wuselten Leute, sie aber stand einfach nur da, die Arme zu beiden Seiten herabhängend. Und so ähnlich ist sie ja auch – sie ist jemand, der immerzu in Gedanken verloren ist.

Ich komme an die Reihe. Ich schiebe das Geld durch die kleine Öffnung in der Glaswand vor der Kasse. Als ich mich umdrehe und das Wechselgeld ins Portemonnaie stecke, sehe ich einen Jungen, vielleicht um die fünfzehn, auf Grace zugehen. Er ist ungefähr so weit von ihr entfernt wie ich und kommt aus der anderen Richtung. Ich sehe die Aggression in seinen Bewegungen. Er reckt die Brust, sein Gesicht ist feindselig.

»Was glotzt du so?«, schreit er ihr aus fünf Metern Entfernung entgegen und kommt näher. Ich gehe schnell zu Grace hinüber.

»Mit dir red ich!« Er zeigt mit dem Finger auf sie. Ich sehe, wie sich seine Arm- und Schultermuskeln spannen. »Was glotzt du so?«

Ich bin bei ihr und fasse sie an den Schultern. Der Junge bleibt stehen, als er sieht, dass sie nicht allein ist.

Als ich sie umdrehe, weicht der Junge zurück. »Blöde Schlampe!«, schreit er über die Schulter und verschwindet wieder in der Spielautomatenhalle.

»Das war ja wohl unfreundlich!«, sage ich zu Grace, als wir gehen. Ich bemühe mich um einen ruhigen Ton, aber ich bin total durcheinander.

Woher kommt solches Verhalten? Was wäre geschehen, wenn ich nicht da gewesen wäre? Hätte er sie geschlagen?

Was hatte er für ein Problem? Ich denke, es muss

eine Art urzeitlicher Rudelmentaliät sein, die in den Hormonen durchschlägt, ähnlich wie das Verhalten nach dem Motto: »Der Stärkste überlebt«, das ich so oft auf dem Schulhof beobachtet hatte.

Schwacher Mensch! Schwacher Mensch! Angreifen! Angreifen!

Ich spüre mein Blut in den Adern rasen. Ich versuche, mich zu entspannen.

Ich gebe unsere Karten ab und wir setzen uns auf Plätze in der Mitte des Kinosaals.

Wir sehen den neuesten Trickfilm. Nicht gerade intellektuell. In solche Filme habe ich immer meinen Bruder mitgenommen, um mein eigenes Interesse daran zu verschleiern. Inzwischen ist er zu alt dafür. Zu cool. Aber er hat trotzdem nichts dagegen, mitzukommen und sich Cartoons anzuschauen – aus rein wissenschaftlichen Gründen natürlich.

Grace bietet mir nun eine neue Begründung.

Ich mag solche Filme. Ich mag Cartoons. Es gefällt mir, wie die Hauptfigur mal eben ein Lied anstimmt, und alle fangen an zu tanzen. Jeder kann die Schritte, jeder kennt den Refrain. Es gefällt mir, dass in diesen Filmen tatsächlich jeder singen kann. Wäre die Welt nicht herrlich, wenn jeder singen könnte?

Einmal nur möchte ich in einem Einkaufszentrum, in einer Warteschlange oder in sonst einer banalen Situation sein, und da würde plötzlich jemand anfangen zu singen, und alle würden mitsingen und tanzen. Es kommt heute entschieden zu selten vor, dass spontan getanzt wird.

Wir fuhren wieder nach Hause. Ich zog Grace das Kleid aus und einen Trainingsanzug an, dann setzte ich sie auf der vorderen Veranda in einen der großen, bequemen Sessel.

Ich ging in ihr Schlafzimmer und zog die langen cremefarbenen Vorhänge zurück. Dann setzte ich mich ins Arbeitszimmer, Rücken zum Schreibtisch, so dass ich durch den Schrank und durch das Zimmerfenster Grace im Blick hatte. Ich nahm den Deckel von der Spukschachtel und las.

Ich war so wütend. Ich war auf der Fahrt nach Hause und war wütend bis oben hin.

Was fällt Ihnen ein!

Ich fuhr wie eine Irre. Hätte um ein Haar mehrere Leute und mich selbst umgebracht.

Was fällt Ihnen ein!

Immer wieder tun Sie mir das an! Es macht mich dermaßen wütend. Ich spüre den Zorn in mir anschwellen und ich spüre, wie mein Herz klopft. Aber sage ich etwas? Nein. Sie geben mir nie die Gelegenheit. Warum überhaupt mir die Vollmacht erteilen, Entscheidungen zu treffen? Sie kommen in die Besprechung gerauscht und heben mit leichter Hand alle Entscheidungen wieder auf, die ich getroffen habe.

Es hat mich wochenlange Arbeit gekostet, um diese Pläne zu erstellen. Sie haben nicht einmal die Höflichkeit, mit mir darüber zu sprechen.

Meine Entscheidung im Fall Pritchard gründete sich auf stundenlange Verhandlungen und auf gesunden

Menschenverstand. *Nicht zu reden von dem, was der Fall eingebracht hätte.*

Was fällt Ihnen ein, mich so öffentlich zu erniedrigen und bloßzustellen! Lächerlich haben Sie mich gemacht! Ich hasse Sie dafür. Das Geld, das wir nun verlieren werden! Ich hätte Sie ohrfeigen können.

Aber natürlich habe ich es nicht getan.

Mit einem Ruck würge ich das Auto ab. Der Zündschlüssel blockiert. Alles kullert aus meiner Handtasche. Ich friere. Das Haus wird wie ein Eisberg sein. Es ist spät. Ich musste länger bleiben und alle Pläne ummodeln. So viel zum Thema Effizienz. Ich steige aus dem Auto. Da sitzt du auf den Treppenstufen vor der Haustür. Geh mir aus den Augen, Scheißkerl.

Du hast den großen schwarzen Mantel an, den Kragen hochgeschlagen. Deine Lippen sind blau. Du stehst zwischen der Tür und mir. Du sagst nichts. Du nimmst etwas aus deiner Tasche. Ich kann nicht erkennen, was. Es ist so dunkel, und es vermischt sich mit den schwarzen Lederhandschuhen, die du trägst.

Es quiekt. Du hältst es an mein Gesicht. Deine blauen Lippen lächeln.

Es ist ein winziges schwarzes Kätzchen mit einem kleinen Goldband um den Hals. Es zittert. Miau. Große Augen. Große grüne Augen. Kleine rosa Zunge. Kleines Miau.

Ich weiß nicht, wie Sie ihn nennen möchten, aber ich habe ihn Pritchard genannt.

Ich hasse es, wenn du so bist. Ich bin zerrissen vor Unentschlossenheit. Ich sehne mich danach, mich in deinen Mantel zu wickeln, wo es warm und sicher ist.

Ich sah auf. Grace war nicht mehr da. Ich hörte ein scheußliches Kreischen, ähnlich dem Geräusch kämpfender Katzen, und Gelächter – hässliches Gelächter.

Ich warf den Zettel in die Schachtel zurück und rannte hinaus. Grace stand am Rand der Veranda, die Hände auf dem Geländer, und schwankte von einem Fuß auf den anderen.

Das Lachen kam von der gelben Nachthemdfrau von nebenan, obwohl sie das gelbe Nachthemd jetzt nicht anhatte. Sie stand auf ihrer Veranda. Sie hatte sich weit vornübergebeugt, hielt sich den Bauch und lachte und lachte. Schreihals stand im Vorgarten und sah zu Grace herüber. Er hatte Prickles in der Hand, schleuderte ihn in die Luft, weit über seinen Kopf, und fing ihn am Bauch wieder auf. »Hey, Nuffy!«, spottet er. »Ich hab dein Katzenvieh!«

Wurf.

Prickles fliegt in die Luft und stößt ein lang gezogenes Kreischen aus. Sein Fell sträubt sich. Sirene lacht unbeherrscht. Prickles krümmt sich in der Luft, dreht sich in der Luft um sich selbst. Schreihals fängt ihn im Fall wieder auf.

»Hey, Nuffy, ich hab dein Katzenvieh!«

Ich rase auf die Veranda. »Lassen Sie die Katze runter!«, brülle ich.

Wenn ich wütend werde, schreie ich immer, nicht spitz und piepsig wie viele Leute, sondern dunkel und dröhnend von weit unten aus dem Bauch. Ich hole Luft und der Brüller kommt laut und tief wie ein Nebelhorn.

Prickles ist schon wieder in die Luft geflogen, aber diesmal gibt sich Schreihals keine Mühe, ihn aufzufangen. Höhnisch grinsend sieht er mich an. Er holt mit dem Fuß aus, sieht zu, wie sich die Katze in Hüfthöhe vor ihm krümmt, zielt und versetzt ihr einen brutalen Tritt.

Für einen Moment schlingt Prickles die Pfoten um den Fuß von Schreihals, dann prallt er ab. Er fliegt noch ein Stück durch die Luft, heult auf und bleibt in unserem Vorgarten liegen. Er rollt langsam herum und stößt einen lang gezogenen Klagelaut aus.

Ich laufe zur Treppe. Ich renne über den Rasen. Ich höre, wie nebenan die Tür zufällt, als die beiden wieder ins Haus gehen, aber ich habe nur Augen für Prickles. Er bewegt sich nicht.

Grace steht auf der Veranda. Sie schwankt jetzt schnell von einem Fuß auf den andern. Sie hat die Hände an die Schläfen gepresst und gibt kurze, keuchende Laute von sich: »Chch, chch, chch.«

Ich renne zu der Stelle, wo Prickles auf dem Rasen liegt. Sein Schwanz zuckt einmal. Tränen laufen mir über die Wangen. Er sieht benommen zu mir hoch, dann schließen sich seine kleinen grünen Augen.

O nein, o nein, o nein.

Ich stöhne. Ich knie auf dem Boden und beuge mich über die Katze.

Nein, o nein, was tu ich nur, was tu ich nur.

Ich kann nichts sehen, weil mir heiße Wuttränen aus den Augen stürzen. Ich blinzle wie wild. Meine warmen Tränen tropfen auf das schwarze Fell. Ich wische sie weg.

Er rührt sich nicht, er rührt sich nicht, o nein! Nein! *NEIN!*

Ich springe auf und laufe ins Haus. Ich schnappe mir den Autoschlüssel von der Küchenbank und ein Handtuch aus dem Badezimmer.

Zurück zum Vorgarten. Auf die Knie. Prickles liegt ganz still, die Augen geschlossen.

O NEIN, O NEIN, O NEIN.

Behutsam hebe ich ihn auf. Er liegt schlaff in meinen Händen. Sein Kopf hängt über mein Handgelenk herunter. Ich lege ihn auf das Handtuch und wickle ihn ein. Ich trage ihn zu meinem Wagen. Sein Kopf hängt aus dem Handtuch heraus.

Ich lege ihn auf den Rücksitz. Er liegt seltsam verdreht.

O nein, o nein, o nein.

Ich renne die Treppe wieder hinauf und fasse Grace um die Taille. Ich führe sie die Stufen hinunter. Sie hat immer noch die Hände erhoben, ihr Ellbogen trifft mich direkt am Nasenrücken. Schmerz schießt mir in die Augen, einen Augenblick lang kann ich nichts sehen.

»Schon gut, Täubchen, reg dich nicht auf«, sage ich und versuche, ruhig zu sprechen, aber meine Stimme ist kratzig, als hätte mir jemand einen Eimer Sand in die Kehle gekippt.

Ich schiebe sie ins Auto.

Ich laufe um das Auto herum. Ich knalle mit dem Knie gegen die Stoßstange. Ich springe ins Auto.

Bitte sei nicht tot, bitte sei nicht tot.

Ich lasse den Wagen an und fahre mit heulendem Motor die Straße hinunter. Ich kann nicht erkennen, wohin ich fahre, weil Tränen in meinen Augen stehen und weil ich Sterne sehe. Grace sitzt verdreht und beugt sich weit nach hinten.

Schnell, schnell, schnell.

Ich halte am Randstein vor der Tierarztpraxis vier Häuserblocks weiter. Ich hebe Prickles vom Rücksitz und bette ihn auf meinen angewinkelten Arm. Er ist so klein und schlaff.

Ich reiße die Beifahrertür auf. Mit dem freien Arm ziehe ich Grace heraus, ich halte mich nicht damit auf, die Türen zu schließen; wir laufen in die Praxis.

Die Frau an der Anmeldung lächelt mir zu, als ich hereinkomme. Ein Mann mit einem Vogelkäfig auf den Knien ist da und eine alte Frau mit einem dösigen Schäferhund, der zu ihren Füßen liegt.

»Getreten!«

Es ist alles, was ich herausbringe. Ich wische mir mit dem Ärmel über die Augen. Mir ist, als hätte ich eine Grapefruit in der Kehle stecken.

»Getreten«, sage ich zu der Frau. Tränen laufen mir aus den Augen. Grace steht neben mir und schwankt hin und her, die Arme hat sie vor der Brust verschränkt.

Mit ausgestreckten Armen halte ich der Frau hinter dem Tisch das Handtuchbündel hin.

»Getreten. Hier drin ist er.«

Die Frau runzelt die Stirn, sagt aber nichts. Sie steht auf und öffnet eine Tür hinter ihrem Tisch.

Einen Moment später kommt der Tierarzt heraus. Er ist ungefähr dreißig, hat dunkles Haar. Als er um den Tisch herumkommt, sehe ich Jeans unter seinem weißen Kittel.

»Entschuldigung«, sagt er zu dem Vogelkäfigmann und der Schäferhundfrau, »macht es Ihnen etwas aus, wenn ich zuerst mal diesen kleinen ...« Er lüpft den Handtuchzipfel auf meinem Arm und linst darunter. »... Burschen anschaue?« Sie schütteln gleichzeitig die Köpfe und der Tierarzt führt mich durch die Tür.

Ich lege Prickles auf den Tisch aus verchromtem Stahl und schlage das Handtuch auseinander.

»Nun«, sagt der Tierarzt, »was haben wir denn da?« Ich sehe ihn an.

Eine Katze.

Ich sage nichts. Kein Wort bringe ich heraus.

Eine Katze, eine Katze, Sie sind doch hier der Tierarzt, Sie sind doch zuständig für das hier! Eine Katze, eine brutal getretene Katze.

»Prickles.« Neue Tränen kommen aus meinen Augen.

»Und Sie sagen, er ist getreten worden, ja?« Der Tierarzt schiebt Prickles' Augenlid hoch, dann tastet er vorsichtig jedes Bein ab.

»Schlimm getreten. Ganz schlimm.« Ich kann nicht atmen. Mein Mund ist voll Spucke und Tränen.

Der Tierarzt sieht Grace an. »Ich glaube, wir hatten Prickles schon mal hier, nicht wahr?«

»Sie spricht nicht«, sage ich und wische wieder mit dem Ärmel über meine Augen.

»Nicht Englisch?«, fragt er.

»Nein, überhaupt nicht.«

Ich zeichne mich auch nicht gerade durch vernünftiges Sprechen aus.

Der Tierarzt nickt, er tastet Prickles' Bauch ab. »Da möchte ich gern mal einen Blick reinwerfen.«

»Er lebt?«, frage ich flüsternd. Neue Tränen stürzen mir aus den Augen, sie stürzen tatsächlich. Sie tropfen auf den Stahltisch.

»O ja«, sagt der Tierarzt lächelnd, »aber wir haben mindestens zwei gebrochene Rippen, und ich möchte wirklich gern einen Blick reinwerfen.«

Die Frau von der Anmeldung kommt zur Tür herein. »Ah, Marie«, sagt der Tierarzt zu ihr. »Wir wollen uns Prickles eben mal von innen ansehen. Ob sie wohl … bitte?«

Marie nickt und führt uns wieder in den Vorraum. »Ist Prickles schon einmal hier gewesen?«, fragt sie, während sie den Karteikasten neben ihrem Tisch aufklappt und schnell die Karten durchschaut. Sie zieht eine kleine blaue Karte heraus. »Ah ja, hier, sehen Sie. Impfungen regelmäßig wie die Uhr, mit sechs Monaten kastriert. Vor zwei Jahren Abszess drainiert. Sie sind eine sehr verantwortungsvolle Tierhalterin, Grace.«

»Ich bin Rachel. Das hier ist Grace.«

Marie lächelt uns zu. »Stimmt diese Telefonnummer?« Sie reicht mir die blaue Karte.

»Ja.«

»Fahren Sie jetzt nach Hause. Machen Sie sich einen schönen Tee. Wir rufen Sie in einer Weile an und sagen Ihnen, wie es Prickles geht, ja?«

Ich führe Grace hinaus zum Auto, das wie ein verlassenes Fluchtauto aussieht – schief geparkt und drei sperrangelweit geöffnete Türen.

Als wir nach Hause kommen, steht die Haustür offen. Ich bringe Grace hinein und setze sie in ihren Sessel. Ich stelle schnell Wasser auf, dann greife ich zum Telefon.

»Mr Preston, hier ist Rachel«, sage ich mit fürchterlich theatralischer Stimme und den Tränen nah.

»Was ist los? Ist mit Grace alles in Ordnung?«, sagt er.

»Es ist wegen Pritchard.«

Oops. Das war ein Ausrutscher.

»Wer?«

»Prickles.«

»Was ist passiert?«

»Schreihals«, fange ich an.

Oops, und noch einer.

»Ich meine, der Mann von nebenan, er hat ihn getreten, dass Prickles ungefähr drei Meter durch die Luft geflogen ist. Er ist beim Tierarzt.«

Schweigen. Einen Augenblick denke ich schon, die Verbindung ist unterbrochen.

»Ich komme sofort.«

Fünfzehn Minuten später ist Mr Preston da. Ich trinke gerade einen schönen Tee wie empfohlen. Ich sitze auf dem Sofa, atme tief und stoßweise, und aus meinem Mund kommen kleine Wimmerlaute.

»Was ist passiert?« Er kommt mit großen Schritten herein und schüttelt seine dunkelblaue Jacke ab, dann krempelt er die Hemdsärmel auf.

»Der Typ von nebenan«, sage ich und fange wieder zu heulen an.

Mr Preston setzt sich aufs Sofa und deutet mit dem Daumen über die Schulter in Richtung Nachbarhaus. »Der Kerl da drüben?«

»Ja, er hat Prickles festgehalten und ein paarmal in die Luft geschleudert und dann mit aller Wucht in den Bauch getreten.«

»Du hast es von wo aus gesehen?«

»Ich war drinnen. Ich hörte die Katze schreien, da rannte ich zur Veranda, und im gleichen Moment hat er sie getreten.«

»Und dann hast du was getan?«

»Ich bin zu der Katze gelaufen, habe sie genommen und zusammen mit Grace zum Tierarzt gebracht. Sie wird gerade operiert. Der Tierarzt sagt, Prickles hat sich Rippen gebrochen.«

»Ist das alles?« Er kramt sein Handy aus der Tasche.

Ich nicke. »Höchstens noch – Grace hat die Sache beobachtet und sie hat reagiert.«

»Was hat sie getan?«, sagt er und fixiert mich mit einem bohrenden Blick.

»Sie schwankte hin und her, sie hat sich den Kopf gehalten und Laute von sich gegeben«, antworte ich.

Mr Preston tippt eine Nummer in sein Handy, lehnt sich zurück und legt einen Arm lang ausgestreckt auf die Rückenlehne.

»Ben … Ben, ich weiß, dass du da bist, Ben.«

Ich wundere mich, dass Mr Preston die Telefonnummer von Schreihals kennt.

»Erzähl mir keinen Stuss, du weißt genau, wer ich bin. Ich bin der Typ, der dich immer auf den Golfplatz schleppt und dir die Marotten austreibt! Und du weißt auch, dass ich das kann. Ich hab's schon mal getan und ich mach's wieder.«

Ich höre eine Stimme am anderen Ende der Leitung schreien.

»Nein, Junge, hör mal, du kapierst es einfach nicht, oder? Pass auf, ich erklär's dir noch mal: Du fasst den Schläger am Lederende und schlägst den Ball mit dem Metallende.«

Jetzt verstehe ich nur noch Bahnhof.

Mr Preston hört einen Augenblick zu, dann legt er den Kopf schief und lächelt. »Nein, im Ernst, Ben, wir haben hier ein kleines Problem. Ein Mann hat gerade die Katze von meiner Freundin getreten. Absichtlich. Er hat sie in die Luft geworfen und ungefähr drei Meter weit getreten. Die Katze ist beim Tierarzt. Wir wissen nicht, ob der kleine Kerl durchkommen wird.«

Mr Preston schweigt einen Moment, dann gibt er die Adresse an. »Ist er jetzt drin?«, fragt er mit einem Blick zu mir her und zeigt wieder mit dem Daumen über die Schulter.

»Ich glaube schon«, sage ich.

»Wir sind ziemlich sicher, dass der Kerl zu Hause ist. Ja, er wohnt hier nebenan, Junge. Wenn ihr die Straße raufkommt, rechts.«

Ich höre wieder die Schreistimme am anderen Ende der Leitung. Mr Preston lächelt. »Du weißt, dass ich dich wie einen Bruder liebe, Ben. Keine Sorge, bis gleich.«

Mr Preston steckt das Handy wieder in in die Tasche. »Und Sie sagen, Grace hat reagiert?«

Ich beschreibe es ihm, und ich muss aufstehen und es ihm vormachen. Dann gehen wir hinaus auf die Veranda, und ich zeige ihm, was passiert ist.

»So, jetzt können wir uns ruhig hier draußen hinsetzen und abwarten«, sagt er und reibt sich die Hände. Er bringt Grace heraus und hilft ihr in einen der großen bequemen Sessel. Mr Preston stellt sich an das Geländer, das Gesicht uns zugewandt. Dann höre ich, dass sich Sirenen nähern – Sirenen, Plural.

Mr Preston grinst. »Das wird Ben sein.« Er schaut auf seine Uhr. »Das war schnell.«

Zwei Polizeiwagen kommen mit heulenden Sirenen die Straße heraufgerast und halten vor dem Nachbarhaus. Drei Polizisten springen aus den Wagen, zwei von ihnen setzen die Helme auf und gehen auf die Eingangstür zu. Der andere, ein Mann mittleren Alters mit grauem Haar schlendert herüber und lehnt sich an den Lattenzaun.

»Ich komme, um dich zu verhaften A. P. … Wegen falscher Behauptung, du seist ein Golfspieler. Bekennst du dich schuldig, oder muss ich dich noch einmal zum Schauplatz des Verbrechens bringen?«

»Lebendig kriegst du mich nicht, Herr Wachtmeister«, sagt Mr Preston. Er geht die Verandastufen hinunter und schüttelt dem Polizisten herzlich die Hand. »Benjamin, wie geht's Frau und Kindern?«

»Also«, sagt der Polizist, nimmt den Hut ab und kratzt sich den Kopf. »Jessica erwartet ein Baby«, grinst er.

»Hey, schon wieder Opa?«, sagt Mr Preston. »Das ist eine wunderbare Nachricht.« Er dreht sich nach der Veranda um. »Das sind meine Freundinnen Rachel und Grace.«

»Guten Tag«, sagt Ben, der Polizeibeamte, und lächelt mir zu.

Die Tür nebenan geht auf, und Schreihals in Handschellen kommt heraus, zahm zwischen zwei Polizisten. Sie schieben ihn auf den Rücksitz des Polizeiwagens.

»Handschellen, Benjamin?«, sagt Mr Preston.

»Ich bin der Ansicht, dass zwischen dem Treten einer Katze und dem Angriff auf Menschen kein so großer Schritt ist, und ich muss an die Sicherheit meiner Leute denken«, sagt Benjamin und lächelt uns zu. Dann verschwindet sein Lächeln. »Nein, im Ernst, Freund, solche Fälle hasse ich. Sie machen mich wütend, und ich gehöre wirklich nicht zu denen, die schnell wütend werden. Die machen das nicht wegen Geld und nicht, um zu provozieren, es ist einfach nur Grausamkeit. Solche Leute überrumpeln wir gern mit drastischen Maßnahmen, verstehst du? Das erspart uns vielleicht spätere Schwierigkeiten.«

Einer der Polizisten kommt langsam herüber. »Du willst die jungen Damen wahrscheinlich nach ein paar

Einzelheiten über den Vorfall fragen«, sagt Benjamin zu ihm.

Der Polizist nickt und zieht ein Notizheft aus der Tasche. Ich erzähle ihm alles und er schreibt es auf. Ich zeige ihm genau die Stellen, wo Schreihals stand, wo Prickles landete und wo Grace und ich waren.

Mr Preston und Benjamin gehen unterdessen schon langsam die Straße hinunter, sie unterhalten sich, lächeln und lachen.

Die beiden Polizisten sind mit Schreihals beschäftigt. Benjamin und Mr Preston schütteln sich noch einmal die Hände. Benjamin setzt sich in seinen Polizeiwagen und kurbelt das Fenster herunter. »War nett, Sie kennen zu lernen, meine Damen.« Er wendet sich an Mr Preston und sagt grinsend: »Du weißt, dass ich dich wie einen Bruder liebe.«

Er gibt Gas und fährt davon.

Mr Preston bleibt, die Hände auf die Hüften gestemmt, stehen und sieht dem Auto nach. Dann kommt er wieder zu mir. »So, jetzt, wo alles geregelt ist, sollte ich besser gehen.« Er öffnet seine Wagentür und steigt ein. »Rufen Sie mich an, wenn Sie etwas vom Tierarzt hören. Bis bald, Kumpel«, sagt er durch das Fenster, dann fährt er weg.

Ich bringe Grace wieder ins Haus.

Das Telefon läutet. Es ist Marie aus der Tierarztpraxis. Sie sagt, dass Prickles durchkommen wird, dass er aber schwer verletzt ist und dass es ihm eine ganze Weile schlecht gehen wird. Ich kann ihn in ungefähr drei Tagen abholen.

18

Am Abend ruft Kate an. Sie sagt, sie habe ein paar Freunde eingeladen und ob ich Lust hätte zu kommen. Ich schaue zu Grace hin, die in ihrem Stuhl sitzt.

Kein Prickles.

Ich sage, dass ich komme, wenn ich jemanden für Grace auftreiben kann.

Die Krankenschwester will ich nicht anrufen. Am liebsten wäre mir, wenn Mr Preston käme, weil er verständnisvoll umgeht mit Grace, die unter dem Verlust ihrer Katze leidet.

Ich rufe ihn an, erzähle ihm, dass die Katze über den Berg ist, und frage, ob er heute Abend auf Grace aufpassen könne. Er sagt, er wird gegen sieben da sein.

Als ich auflege, komme ich mir gemein vor, dass ich weggehe – nach einem solchen Tag für Grace. Soll ich lieber zurückrufen und sagen, ich bleibe doch hier? Nein, der Schaden ist angerichtet. Mr Preston weiß jetzt, dass ich bereit war wegzugehen und sie allein zu lassen. Ich weiß nicht warum, aber ihm ist es wichtig, eine gute Meinung von mir zu haben.

Ich ziehe Grace den Schlafanzug an, setze sie auf das Sofa und stelle den Fernseher an. Sie schaut nicht hin.

Ich ziehe mich um. Was trägt man bei solchen Gelegenheiten?

Als ich noch auf der Schule war, gab es ständig Partys. Einmal war ich auf einer. Sie war im Haus von irgendjemandem, den ich nicht kannte. Ich trank zu viel und musste mich den ganzen Abend übergeben. Beim ersten Mal schaffte ich es nicht rechtzeitig und kleckerte auf die blöde apricotfarbene Auflage auf dem Toilettendeckel.

Wer hat aber auch so was? Warum hat man solche Dinger? Welchen halbwegs vernünftigen Sinn haben sie? Wer setzt sich auf den Toilettendeckel? Wer verbringt so viel Zeit auf dem Toilettendeckel, dass er eine kleine apricotfarbene Auflage braucht?

Eine von meinen Freundinnen kam dauernd herein, strich mir das Haar zurück und sagte: »Na, geht's wieder?« Es war ein höchst demütigendes Erlebnis. Den Montag darauf rannte das Mädchen, das die Party gegeben hatte, überall in der Schule herum und erzählte jedem, dass ich mich auf ihrer blöden apricotfarbenen Toilettendeckelauflage übergeben hätte, und wie schlapp das gewesen sei, da ich sie ja nicht einmal kannte. Es ist also wohl offenbar in Ordnung, sich auf einer kleinen apricotfarbenen Auflage zu übergeben, wenn man den Besitzer kennt?

Danach haben mich die andern gnadenlos aufgezogen. Ich bin nie wieder auf eine Party gegangen. Das Resultat ist, dass ich nicht weiß, was man auf Partys trägt.

Ich ziehe Jeans an und Stiefel, die wie Arbeitsstiefel aussehen.

Eine Stunde verbringe ich damit, meinem Haar den

Anschein zu geben, als hätte ich nichts daran getan. Am Ende sieht es tatsächlich aus, als hätte ich nichts daran getan, aber nicht auf coole, lässige Art, sondern eher so, als wäre ich eben aus einem schlechten Traum aufgewacht. Ich gebe auf.

In Graces Kleiderschrank finde ich ein knappes, gut geschnittenes Hemd mit grauem Nadelstreifenmuster. Ich ziehe es an und kremple die Ärmel hoch.

Ich trage eine Spur von rotem Lippenstift auf, der ganz gut zu meinem Erröten passen wird.

Ich setze mich neben Grace aufs Sofa, lege ihr den Arm um die Schultern und drücke sie ein bisschen. Sie schaut noch immer nicht auf den Fernseher.

Mr Preston kommt. Er hat keinen Anzug an. Dafür trägt er die Standarduniform eines korrekt gekleideten Mannes, der keinen Anzug trägt – ein dunkelblaues Polohemd zu senffarbenen Hosen, dazu braune Schuhe und einen passenden Gürtel.

Mr Preston hat immer glänzend polierte Schuhe an.

Meine Mutter sagt, an den Schuhen kann man viel über den Lebensstil erkennen, den eine Person für sich gewählt hat. Je glänzender und neuer sie sind, sagt sie, desto mehr gab es für den Betreffenden zu wählen.

Er kommt mit einem Stapel dieser klitzekleinen Pizzaschachteln, die Löcher in den Seiten haben. Kaum rieche ich die Pizza, läuft mir das Wasser im Mund zusammen. Ich liebe türkische Pizza.

»Ihr Hemd gefällt mir«, sagt er, als er über den Flur geht. »Möchten Sie eine Pizza, bevor Sie gehen?«

O ja. Gern.

Mr Preston öffnet die Schachteln. Er drückt ein bisschen Zitronensaft über die Pizzen.

Mmmm, türkische Pizza.

Er gibt Grace einen langen Pizzastreifen in die Hand und sie isst.

»Was ist das für ein Schrott, den ihr da anschaut?«, fragt Mr Preston. Er steckt sich Pizzastücke in den Rachen – im Ganzen. Gerade will ich mich rechtfertigen und schaue auf den Bildschirm, da stelle ich fest, dass es tatsächlich Schrott ist.

Mr Preston nimmt die Fernbedienung und fängt an herumzuzappen.

Flick, flick, flick.

Nachrichten. Er wird wohl abgelenkt sein und gar nicht merken, wie viel ich von seiner Pizza esse.

Wie kommt es, dass, wenn einem jemand etwas von seinem Essen anbietet, man es plötzlich für das Köstlichste hält, was man je gegessen hat? Am schlimmsten ist es bei Pommes mit Salz und Essig. Bekommt man von jemandem ein Salz-und-Essig-Pommes, isst man es ganz, ganz langsam und denkt. *Das ist das beste Pommes, das ich im Leben je gegessen habe.* Um ein zweites bittet man nicht, weil man immer zu höflich ist, aber man denkt: *Wenn ich außer Sicht bin, kaufe ich mir sofort eine Tüte Salz-und-Essig-Pommes.*

»Bis später, Kumpel«, sage ich.

»Viel Spaß, Kumpel«, antwortet er.

Im Auto stecke ich den Schnorchel in den Mund. Ich wünschte, ich hätte keinen roten Lippenstift aufgetragen, denn jetzt verteilt er sich über mein Kinn und meine Nase. Es ist einer von diesen Lippenstiften, die garantiert ewig haften bleiben. Auf den Lippen haften sie nicht, aber wenn Kinn und Nase etwas abgekriegt haben, kann man Gift drauf nehmen, dass sie dort den ganzen Abend haften werden.

Der Abend ist mild. Ich fahre durch die Straßen, meinen Schnorchel aus dem Fenster gereckt. Pärchen führen ihre Hunde spazieren und Gesundheitsfreaks joggen in kurzen Hosen. Leute, die sich fürs Abendessen schick angezogen haben, bummeln zur Restaurantmeile. Ich fahre am Park vorbei. Hier packen Leute ihre Grillutensilien und ihre Picknickkörbe aus.

Kate wohnt in einer langen Straße mit Reihenhäusern. Die renovierten haben Terrakottaplatten samt passender Terrakottatöpfe auf den Veranden und glänzend lackierte schmiedeeiserne Zäune in Smaragdgrün oder Kastanienbraun. Außerdem haben sie Holzjalousien vor den holzgerahmten Verandatüren.

Die unrenovierten Häuser haben rostige schmiedeeiserne Zäune und betonierte Vorgärten. Und Aluminiumfenster mit dicken weißen Jalousien davor.

Alle möglichen Autotypen parken auf dem Bürgersteig, von Jaguars und BMWs bis zu Combis und Datos.

Maxwell lässt mich herein, dann geht er auf die Veranda, um zu warten.

Worauf wartet er? Er ist doch da. Oder nicht?

Drinnen sitzt Kate auf ihrem Lieblingssamtkissen. Eine kleine weiße Blume in der Hand. Sie gleicht so sehr einer Fee in einem grün geblümten Kleidchen, dass ich schon fragen will, ob ich in Verkleidung hätte aufkreuzen sollen. Schon fange ich an: »Sag mal, hätte ich …«, da merke ich, dass es gar keine Verkleidung, sondern ein flippiges Outfit ist. Aber ich war so knapp davor, es auszusprechen, dass es schon für eine schöne üppige Röte im Gesicht reicht.

»Du kommst früh, bist du gerannt?«, fragt sie.

Ich sage Ja, weil das einfacher ist als zu erklären, ich sei rot geworden, weil ich ihr flippiges Outfit für eine Verkleidung gehalten habe.

Maxwell steht in der Tür, schaut die Straße rauf und runter, wippt auf den Fußballen, wartet, wartet. Er trägt schwarze Lederhosen und seine Schuhe quietschen.

»Maxwell, Liebling, könntest du ein bisschen Musik auflegen?«, sagt Kate.

Maxwell dreht sich um. »Was?«

»Ich habe gesagt, könntest du ein bisschen Musik auflegen?«

Wenn sie heute Abend alles zweimal sagen muss, werde ich ihn umbringen müssen. Es ist unerträglich, es ist eine Form von Folter. Es ist so ähnlich wie mit Leuten, die einem den Satz beenden, den man gerade angefangen hat. Ich versuche dann immer, etwas völlig Unerwartetes zu sagen, um sie aus dem Konzept zu bringen. Aber mir fällt nie schnell genug etwas ein.

Kate und ich unterhalten uns über die Uni. Sie fragt, ob ich schon einmal in der Studentenkneipe war. Ich beschließe, Hiro zu bitten, mal mitzukommen und sich mit mir eine Band anzuhören. Wenn eine Band spielt, würden wir nicht sprechen müssen und ich würde keinen Grund haben, verlegen zu werden.

Wir quatschen über Leute aus dem Café. Ich frage nach dem Chef, den anderen Kellnerinnen und den Stammgästen.

Dann machen wir Schmuddelwitze und lachen hysterisch. Normalerweise bin ich kein großer Freund von Schmuddelwitzen, aber Kate ist eine Komikerin und schafft es, dass ich mich vor Lachen auf meinem großen Samtkissen wälze. Maxwell steht in der Tür und macht ein missbilligendes Gesicht.

Gegen halb zehn, wenn ich normalerweise bald schlafen gehe (als Morgenmensch), kommen allmählich die anderen. Mit einem Schlag ist das Haus proppenvoll. Ich werde ungefähr fünfzehn Leuten vorgestellt; sie sind alle in den frühen Siebzigern geboren und haben deshalb Namen wie Vladimir und Paris.

Ich teile mein großes Samtkissen mit einem Mädchen namens Charisma, was wirklich unglücklich gewählt ist, aber das konnten ihre Eltern damals nicht wissen. Sie erzählt mir eine lange, verwickelte Geschichte über die Eierstockzyste von jemandem, den ich nicht kenne. Charisma langweilt mich zu Tode und ich muss ein ums andere Mal gähnen.

Um Viertel nach zehn rettet mich jemand vor Charisma, weil er tatsächlich die Person mit der Eierstockzyste kennt und interessiert nachfragt.

Ich rutsche von meinem Samtkissen und halte Ausschau nach Kate. Ich bahne mir einen Weg durch den Flur, da spricht mich ein Mädchen mit einem britischen Akzent und kurzer blonder Gelfrisur an. Sie hat Hotpants und ein knappes Glitzertop an. Sie trägt eine Brille mit dickem schwarzem Gestell. »Rachel! Wie schööön, dich zu sehen!«, sagt das flippige Hotpantsmädchen.

Ich habe diese Person noch nie im Leben gesehen. »Hallo, ...«

Liebe Güte, ich habe keine Ahnung, wie du heißt ..., und mein Hallo war eindeutig so, dass darauf der Name folgen muss ... wie komme ich da raus?

»... du!«, sage ich mit einem Grinsen. »Was treibst du denn so?«

Wenn jemand fragt »Was treibst du denn so?«, verstehe ich das als Stichwort für eine kurze Zusammenfassung in zwei, drei Sätzen. In meinem Fall wäre das also zum Beispiel: »Ach, eigentlich nicht viel. Ich bin zu Hause ausgezogen. Ich gehe zur Uni. Ich habe einen Job.« Danach kann der Fragesteller eine der Spuren weiterverfolgen, wenn er will, so ähnlich wie am Computer: Select a subject from the following menu. Dieses Mädchen jedoch nahm meine Frage als Aufforderung, mir ihre ganze Lebensgeschichte zu erzählen. Wenigstens war es eine interessante Lebensgeschichte.

»Also, wie du weißt, bin ich ja als Austauschschülerin nach London gegangen.«

Na klar! Das ist doch das plumpe, schweigsame Mädchen, das als Austauschschülerin nach London gegangen ist. Wie hieß sie noch mal?

»Es war sagenhaft, einfach sagenhaft. Es hat mein ganzes Leben verändert.«

Ich habe noch nie jemanden gesehen, der sich so sehr verändert hat. Ich traue meinen Augen nicht! Sie war immer eins von diesen Mädchen, die ungefähr wie vierzig aussehen. Jetzt ist sie eine schlanke, supertolle Person in Hotpants. Wie hieß sie nur?

Sie erzählt lang und breit von der Schule, auf der sie war, sie erzählt, wie sie durch ganz Europa kam und wie sie nach London zurückkehrte und in einer Akrobatentruppe als Jongleurin auftrat. Sie war beim Alternativ-Festival in Edinburgh, wo sie sich in einen Alleinunterhalter verliebte, der, wie sich später herausstellte, bisexuell war und der nach zwei Monaten mit ihrem Mitbewohner davonlief.

»Ich war am Boden zerstört. Ich meine, mein Mitbewohner, mit dem ich seit Jahren zusammengelebt hatte, Nigel, wir waren zusammen in Madrid und in Prag gewesen. Und dann in Edinburgh natürlich. Wir waren die besten Freunde. Plötzlich wollte er, dass man seinen Namen Nee-gel aussprach. Ich konnte es nicht fassen. Es war einfach zu traurig. Da habe ich zu mir gesagt, Ruth …«

Ruth! Sie heißt Ruth.

»Ruth, habe ich zu mir gesagt, es ist Zeit, dass du nach Hause fährst. Ich meine, Europa ist fantastisch, klar, aber ich konnte nicht weit genug von Nee-gel wegkommen, und weiter als nach Australien geht es kaum, oder?«

Ruth erzählt, dass sie nach Australien zurückgekommen sei, um Performance zu studieren, aber sie findet es ziemlich schwierig. Nicht das Studieren natürlich, sie hat mit Performance ja schon Geld verdient, aber das Zurücksein in Australien.

»Um Geld zu sparen, wohne ich bei meinen Eltern. Sie versuchen dauernd, mein Leben für mich einzurichten. Ich kann's kaum erwarten, wieder nach Europa zu gehen.«

Gegen elf verabschiede ich mich von Ruth und verspreche ihr, mich mal mit ihr zu treffen. Ich suche Kate, um mich zu verabschieden. Sie ist in der Küche und streitet mit Maxwell. Maxwell steht an der hinteren Tür, er hat den Mantel über dem Arm und spielt mit den Autoschlüsseln in seiner Hand.

Wohin will er bloß?

Kate umarmt mich, und wir versprechen einander, demnächst zusammen Kaffee zu trinken.

Ich fahre nach Hause. Grace liegt im Bett und schläft, Mr Preston sitzt auf dem Sofa, den Kopf nach hinten gelehnt, und schnarcht. Ich gehe in die Küche, stelle den Kessel auf und knalle ein bisschen mit den Schranktüren, damit er hoffentlich aufwacht.

Ich gehe in mein Zimmer und streife die Stiefel von den Füßen.

Als ich wieder ins Wohnzimmer komme, ist Mr Preston wach. »Muss glatt eingedöst sein«, sagt er mit einem verwunderten Blick. Seine Augen sind rot und glasig und sein Haar steht komisch vom Hinterkopf ab. Ich biete ihm einen Kaffee an, aber er sagt, er muss nach Hause. Er sammelt die Pizzaschachteln ein und bringt sie raus zum Müll.

Als er wiederkommt, sagt er: »Unser Freund von ne-

benan ist vorhin von der Polizeiwache zurückgekommen und die beiden hatten einen Höllenkrach. Aber
jetzt ist alles ruhig.«

Er nimmt seine Schlüssel und sein Handy. »Hatten
Sie einen netten Abend?«

Ich nicke und sage strahlend: »Ja. Danke, dass Sie gekommen sind.«

»Keine Ursache. Es ist gut, wenn Sie mal rauskom-
men«, sagt er und klopft mir auf die Schulter.

Er schleicht auf Zehenspitzen zur Haustür, ganz wie
ein Einbrecher in einer Pantomime. »Also dann gute
Nacht«, flüstert er.

»Gute Nacht.«

Er schließt leise die Tür hinter sich.

Ich zog mich aus und ging ins Bett. Eine Weile lag ich
da, das Licht noch an, und dachte an Ruth und wie ungewöhnlich sie war. Ich dachte daran, wie sie von einem pummeligen Niemand zu einem Menschen geworden war, der etwas Aufregendes gemacht hatte.
Ganz allein in einem fremden Land.

Ich frage mich, in welchem Maß wir uns verändern
und unserer Umgebung anpassen. Wer würde ich sein,
wenn ich nicht hier wäre? Was, wenn ich zu Hause geblieben wäre? Was würde ich jetzt tun? Hat sich dadurch, dass ich diesen Job angenommen habe, mein
Schicksal verändert?

Die große Frage ist: Hatte Ruth angefangen zu jonglieren, weil sie an einem Ort war, an dem günstige Be-
dingungen zum Jonglieren herrschten, oder war es ihr
schon immer vom Schicksal bestimmt gewesen, Jong-

leurin zu werden, und sie hatte nur einen Ort gesucht, um ihre Bestimmung zu erfüllen?

Ich dachte an Grace, die ein aufregendes Leben gehabt hatte, und jetzt ...

Ich dachte daran, dass solche dramatischen Veränderungen im Leben der Menschen um uns herum immer und überall vorkommen.

Wir machen Pläne, wir glauben, wir haben alles im Griff, und plötzlich gibt es einen Knall ... wir begegnen jemandem oder wir sehen etwas, wodurch sich unser ganzes Leben verändert, einfach so. Oder fordern wir den Knall heraus durch die Entscheidungen, die wir treffen?

Ich lag unter meiner Decke und fröstelte. Solche Gefühle, Mann! Wer braucht denn so was? Vor zehn Minuten, als ich noch alles wusste, war das Leben viel einfacher.

Und noch etwas, falls Mr Preston der Mantelträger mit den blauen Lippen war, warum ist er dann nicht darauf eingegangen, als ich die Katze Pritchard genannt hatte?

Merkwürdig, höchst merkwürdig.

19

Heute hat mich Strichmund besucht. Warum? Warum mich? Ich kann sie nicht leiden.

Ich war gerade hinten im Garten und habe gegossen. Es kommen immer neue Pflanzen. Ich verstehe nicht viel davon, aber es sieht so aus, als tauchen Pflanzen auf, die mit Sicherheit vorher nicht da waren.

An mehreren Rosenbüschen sind gesund aussehende frische Triebe. Ich bin ganz begeistert von der Aussicht auf Rosen. Ich werde Blumen im Haus aufstellen können.

Brioney saß am Rand des Teiches. Sie rede nicht mehr mit Charity, sagte sie, aber sie borge sich sonst immer deren Nähmaschine, und ob es mir recht sei, wenn sie sich für ein paar Tage Graces Nähmaschine borgen würde.

Ich erklärte ihr, Mr Preston habe gesagt, ich dürfe nichts ausleihen, aber sie könne gern hier nähen, wenn sie wolle.

Bitte, bitte, bitte sag nicht Ja.

Brioney saß am äußersten Rand des Teiches, die langen Beine sittsam seitlich untergeschlagen. »Nun, das wäre nicht sehr praktisch, ich habe alle meine Muster zu Hause. Es wäre wirklich sehr viel einfacher, wenn ich sie mitnehmen könnte. Es wäre nur für diesen

Nachmittag. Mr Preston müsste es ja nicht unbedingt erfahren, oder?«, sagte sie und sah mich schlau an.

»Sie wollen doch nicht andeuten, Brioney, dass ich meinen Arbeitgeber täuschen könnte?«

Sie schniefte und schüttelte energisch den Kopf. »Nein, nein, natürlich nicht.«

Dann wechselte sie das Thema. Sie erzählte, dass sie einen Quilt fertig nähen wolle.

»Ich mache nämlich Quilts. Für Grace habe ich auch einen gemacht. Es ist der in Ihrem Zimmer. Monate habe ich dafür gebraucht – Monate. Eigentlich würde ich ihn gern wieder mitnehmen, Grace benutzt ihn ja doch nicht«, sagte sie und fuhr sich mit den Fingern durch das Haar.

»Ich benutze ihn zur Zeit mehr oder weniger«, sagte ich und lächelte verlegen.

»Oh.« Sie schüttelte energisch den Kopf und schniefte. »Als Grace im Krankenhaus war, bin ich gekommen, um den Quilt zu holen. Charity und ich schauten damals vorbei, um ein paar Sachen mitzunehmen, na ja, die wertvollen, weil es ein Risiko ist, sie einfach so rumliegen zu lassen, wenn, na ja, wenn das Haus wer weiß wie lange leer steht.«

Sie machte eine Pause. Mit dem Zeigefinger zog sie ihr Goldkettchen aus dem Hemdausschnitt und fuhr mit dem Finger über die feinen Glieder, erst nach links, dann nach rechts. Die lockeren Falten um ihren Hals dehnten und verschoben sich unter der Kette, erst nach links, dann nach rechts. Es war widerwärtig und faszinierend zugleich. Ihre gebräunte Haut war trocken und ledrig und von kleinen Linien durchzogen wie bei einem Reptil.

»Als wir das nächste Mal kamen, stand ein Sicherheitsbeamter da. Ein Sicherheitsbeamter!«

Dehnung nach links, Dehnung nach rechts. Sie hatte dünne Lippen, die sich an den Seiten abwärts zogen.

Sie gleicht einer Schildkröte!

»Können Sie sich das vorstellen? Er wollte uns nicht ins Haus lassen! Ihre eigenen Schwestern! Ich meine, ich kann verstehen, dass man das Haus vor Einbrechern schützt, aber vor den eigenen Schwestern! Das ist leicht übertrieben, finden Sie nicht?«

Ihre Nasenspitze war leicht aufwärts gerichtet, so konnte man den Umriss der Nasenlöcher sehen.

Sie sieht genau aus wie eine Schildkröte! Oh, welche Erleichterung! Das plagt mich schon seit Ewigkeiten.

»Nach einer Weile jedenfalls war der Beamte nur noch nachts da. Die Pflegerinnen waren tagsüber allein hier, na ja, und Grace natürlich. Ein paarmal schauten Charity und ich vorbei, um nachzusehen, ob Wertvolles herumlag. Ich meine, diese Vermittlungsstelle für Pflegekräfte ist sehr seriös und alles, aber man kann heutzutage niemandem trauen. Eine junge Pflegerin wird nichts gegen ein kleines Extrageld haben, sie sieht ein Goldarmband herumliegen und … na ja, Sie wissen schon, was ich sagen will.«

Ich kann sie nicht mehr anschauen. Ich befürchte, ich würde lachen. Ich will nicht lachen.

»Charity und ich wollten nur schützen, was Grace gehört. Mr Preston hält sich für höchst wichtig und kommandiert alle herum. Den Pflegerinnen hat er eingeschärft, dass sie uns nichts mitnehmen lassen und dass sie ihn sofort anrufen sollen, wenn wir kommen. Ich weiß nicht, für wen er sich hält.«

Also, ich glaube, Brioney als ältere Schwester ist verärgert. Sie meint, *sie* sollte für Grace alles regeln, nicht Mr Preston. Sie findet, es sei *ihre* Verantwortung. Und sie will diese Verantwortung wahrnehmen, weil sie ihr ein Gefühl von Wichtigkeit geben würde.

Außerdem glaube ich, sie ist immer neidisch auf ihre jüngste Schwester gewesen, weil Grace attraktiv war und die Karrierefrau in der Familie. Ich glaube, sie ist wütend, weil Grace immer so selbstständig war und weil sie Brioney nicht braucht, nicht einmal jetzt.

»Nun gut, meine Liebe, ich mach mich besser auf den Weg. Ich muss heute Abend unterrichten.«

Brioney ging.

Ich goss noch eine Weile und summte vor mich hin. Mann, ich sollte Psychiaterin werden. Ich weiß so viel.

Als ich in mein Zimmer kam, war meine Steppdecke verschwunden.

20

Am Nachmittag ging ich zur Uni. Wir hatten ein Praktikum. Als ich ins Labor kam, sah ich Hiro. Er lächelte mir zu, da ging ich hin und setzte mich neben ihn. Ich musste nichts sagen, ich ließ ihn reden.

Zuerst konnte ich ihn überhaupt nicht verstehen. Ich spürte die Röte kommen, sie kroch langsam über Hals und Kinn herauf, deshalb beugte ich mich vornüber auf den Tisch und steckte das Kinn in die Armbeuge. Während er mit mir sprach, legte ich den Kopf irgendwie schräg. Ich musste mich beim Zuhören mächtig konzentrieren, aber als ich mich an die Konzentration gewöhnt hatte, dachte ich gar nicht mehr übers Rotwerden nach. Nach einer Weile machte es mir überhaupt keine Schwierigkeiten mehr, ihn zu verstehen.

Es stellt sich heraus, dass er gar nicht Hiro heißt. Er heißt Harold. Er kommt aus Taiwan. Sein Vater arbeitet in der Finanzwirtschaft. Hiro studiert in Australien, weil man in Taiwan eine bessere Stelle bekommt, wenn man hier den Studienabschluss gemacht hat.

Er hat einen jüngeren Bruder zu Hause, den er sehr vermisst. Er spielt gern Fußball. Und er spielt Cello.

Ich finde, Cello ist ein ganz cooles Instrument. Mein Bruder Brody hat in der Grundschule Baritonhorn gelernt. Eigentlich hatte er Saxophon spielen wollen, aber er kam zu spät zur ersten Probe der Band. Das Baritonhorn – das uncoolste von allen Blasinstrumenten – war alles, was noch übrig war. Kein Jugendlicher träumt davon, Konzerthornist zu werden, oder? Nur mein Bruder natürlich. Er übte mit Eifer.

Trööh, terööh, terööh.

Baritonhorn hat einen so unromantischen Klang. Es gibt nirgendwo Solos für Baritonhorn. Man sieht nie »Konzert für Baritonhorn in C«. Wenn mein Bruder also übte, gab es nie eine Melodie, sondern nur trööh, terööh, trööh – Pause – terööh.

Als er zur High School ging, hatten sie dort kein Baritonhorn, da gab er es auf. Sie hatten ein Altsaxophon, aber das interessierte ihn nicht.

Hiro erzählte, wie er Cellospielen gelernt hatte. In Taiwan, sagte er, hatte er nach der Schule immer Cellounterricht gehabt.

»Wenn es nach meiner Mutter geht, muss ich dauernd üben. Jetzt, wo ich hier bin, übe ich aber nicht sehr viel. Sie ruft an und sagt: ›Übst du auch Cello?‹, und ich sage: ›Ja, Mum.‹ Aber ich übe nicht so viel, wie ich sage«, erklärte er lächelnd.

Ich fragte ihn, ob er Lust hätte, irgendwann mal mit mir in die Studentenkneipe zu gehen. Mein Kopf hüpfte beim Reden auf und ab, weil mein Kinn so tief in der Armbeuge steckte. Er lächelte und sagte, dass er große Lust dazu hätte.

Während des Praktikums stellte ich fest, dass Hiro lange muskulöse Arme hatte und schöne kräftige Hände. Er hob den Kopf und blickte zur Tafel, da sah ich,

dass er ein markantes Kinn und einen starken, muskulösen Hals hatte.

Als er zu mir hersah, lächelte er wieder. Ich spürte
Schmetterlinge in meinem Bauch.

Meine Güte! Ich entdecke allmählich Rundungen an
ihm. Ich glaube, er macht mir Lust.

21

Ich glaube, Grace reagiert allmählich auf mich. Vor kurzem hat sie angefangen, den Kopf zu drehen, wenn ich in ihr Zimmer komme. Ihre Augen sehen durch mich hindurch. Ich meine, ihre Augen schauen in meine Augen, aber es ist, als richtet sie den Blick auf irgendetwas hinter mir.

Als ich hergekommen bin, fand ich sie unheimlich, aber das ist jetzt anders.

Heute Abend war ich in ihrem Arbeitszimmer und hatte gerade die Spukschachtel geöffnet. Ich knipste die Schreibtischlampe an. Ich machte es mir bequem, legte die Füße hoch und lehnte mich zurück.

Manche sagen, sie spüren es, wenn sie beobachtet werden. Ich habe dieses Gefühl noch nie gehabt. Ich habe keinerlei übernatürliche Fähigkeiten. Ich habe nicht das zweite Gesicht, auch keinen zweiten Gehör- oder Geruchssinn.

Wäre das nicht eine komische übersinnliche Kraft? Was könnte man schon mit einem zweiten Geruchssinn anfangen?

Mmmm, deine Großmutter möchte dir mitteilen: Die Geheimzutat ist Estragon.

Mmmm, vor fünfzig Jahren hat jemand in diesem Zimmer hier Käsefondue gegessen.

Mmmm, ein Wesen in einem anderen Astralzustand brät gerade Hähnchen.

Das Problem mit dem zweiten Geruchssinn wäre: Wie würde man wissen, ob man ein übersinnliches Erlebnis hat oder ob man einfach nur etwas riecht?

Ich lehne mich also zurück und sehe auf, da steht Grace in der Tür und beobachtet mich. Sie sieht aus wie das Horrorbild, das ich mir von ihr gemacht hatte, als ich herkam. Die meisten Leute, wenn sie eine Zeit lang stehen, neigen dazu, nur einen Fuß zu belasten, oder sich an den nächstbesten Gegenstand zu lehnen. Es ist dunkel, und Grace steht einfach da, die Arme seitlich herunterhängend, die nackten Füße nebeneinander. Ihr Gesicht ist ganz weiß, ihre Unterlippe schlaff, und sie sieht mich direkt an.

Ich drücke mich tiefer in den Lehnstuhl, mir ist eiskalt. Das Licht fällt von hinten auf sie und beleuchtet ihre Silhouette in der Tür. Ich kann nur ihr weißes Gesicht und ihre dunklen Augen sehen.

Ich erschrecke, aber der Schreck kommt daher, weil ich sie hier nicht erwartet habe, es ist kein Erschrecken vor Grace selbst. Das ist nur Grace, die sanfte Grace, die stille Grace, die Grace, für die ich heute Morgen arme Ritter mit Erdnussbutter gemacht habe.

Ich stehe auf und gehe zu ihr.

»Was ist?«, frage ich und lege ihr die Hände auf die Schultern.

Ihre dunklen Augen sind auf mein Gesicht gerichtet, oder eher *durch* mein Gesicht hindurch. Ich stehe vor ihr. Sie öffnet den Mund weiter.

Oh, mein Gott, sie will sprechen!

Ich stehe ganz still und warte. Mein Herz schlägt schneller, nicht vor Angst, sondern vor Aufregung und gespannter Erwartung.

So stand ich vor ihr und wartete. Natürlich hat sie nicht gesprochen. Sie stand nur mit offenem Mund da und schaute durch mich hindurch. Nach einer Weile wurde mir klar, dass wir unglaublich lange so gestanden und einander angestarrt hatten. Ich drehte sie herum und brachte sie wieder ins Bett.

Später lag ich in meinem Bett und konnte nicht schlafen. Was hatte ich mir vorgestellt, dass sie sagen wollte?

Lass die Finger von meiner Spukschachtel und kümmere dich um deine eigenen Angelegenheiten. Übrigens mag ich arme Ritter aus Erdnussbutter gar nicht.

Ich lag da und fragte mich, ob sie je wieder sprechen würde. Was würden ihre ersten Worte sein?

22

Heute ist etwas Schreckliches passiert. Grace hat sich wieder zurückgezogen. Sie hat sich wieder nass gemacht, als wir heute Nachmittag zurückkamen. Das ist seit einer Ewigkeit nicht mehr vorgekommen. Sie ist wieder abgestürzt. Was sich gerade zaghaft in ihr entwickelt hatte, ist verschwunden. Ich schaue in ihre Augen und da ist nichts. Sie erwidert meinen Blick nicht mehr.

Am Morgen war ich in der Universität. Ich hatte Vorlesung. Hiro hat sich für diesen Kurs nicht eingeschrieben, deshalb saß ich allein. Vor mir saß ein Junge, der eine Riesenflasche mit Wasser dabeihatte. Alle Augenblicke nahm er einen langen, genussvollen Schluck.

Plötzlich war ich durstiger als je zuvor in meinem Leben. Mein Mund war trocken, meine Kehle war trocken, meine Haut war trocken. Ich hatte ein Gefühl, als hätte ich gerade ein altbackenes, gesalzenes Sandwich mit Sojasauce gegessen. Ich konnte nicht denken, weil mein Körper mit jeder Faser Durst, Durst, Durst schrie. Ich starrte die Riesenwasserflasche vor mir an, die ich nicht haben konnte.

Ich musste hier raus. Ich packte meine Sachen zusammen und ging aus dem Vorlesungssaal. Ich musste etwas trinken.

Ich ging zur Cafeteria, und da war Kate mit einer ganzen Clique von Naturfreaks, so sahen sie jedenfalls aus. Sie saß mit gekreuzten Beinen auf einem Stuhl – die Macht der Gewohnheit, nehme ich an. Sie winkte mir. Ich nahm mir eine große Flasche Wasser aus dem Kühlschrank und bezahlte.

Ich setzte mich zu Kate und ihren Freunden. Sie kannten mich noch von der Party. Ich konnte mich nicht an ihre Namen erinnern.

»Was ich ja gern mal wissen möchte – wie viel von meinem Leben ist vorherbestimmt?«, sagte ich, während ich mich zu ihnen setzte.

»Also«, antwortete Kate, ohne mit der Wimper zu zucken, »ich glaube, das ist immer eine Kombination aus eigener Entscheidung und Schicksal.«

Kate balancierte ihren Kaffeebecher auf dem Schoß.

»Finde ich nicht«, sagte ein blonder Surfertyp mit Rastalocken. »Wir sind alle Teile eines wirbelnden Kosmos. Alles hängt zusammen – so ist Natur. Versteht ihr, wenn in Südafrika ein Schmetterling mit den Flügeln schnippt …«

»Komm mir nicht damit«, unterbrach ihn ein aufmüpfig aussehendes Mädchen, das einen dünnen roten Rolli trug. »Du verwechselst Zusammenhang mit Zufall.«

In der Cafeteria herrschte ein einziges Gewirr aus Stimmen und Gelächter. Frauen in hellblauen Kitteln gingen von Tisch zu Tisch, räumten die schmutzigen Teller ab und stapelten sie auf Großküchen-Geschirrwagen.

Die Aufmüpfige sah mich über den Rand ihrer Kaffeetasse an. »Lass dich nicht rausbringen, Mädchen, und gestalte dein Schicksal selber. Hör nicht auf ihn. Er hat als Hauptfach Umweltwissenschaft.«

»Du hast mich ja nicht ausreden lassen«, sagte der Junge mit den Rastalocken. »Hier geht es um Grundlagen der Physik. Jede Kraft bewirkt eine gleich starke entgegengesetzte Kraft.«

»Ach, und was soll gleich sein bei einem Flügelschlag und einer meteorologischen Katastrophe von biblischen Ausmaßen, du Hornochse?«, argumentierte das aufmüpfige Mädchen.

Am Nebentisch brach eine Gruppe junger Männer in Gelächter aus. Der Rastalockenjunge musste seine Stimme erheben, um sie zu übertönen.

»Du kannst mir nicht erzählen, dass es in der Natur keinen Plan gibt«, sagte er. »Sieh dir doch das elementare Prinzip an: Der Stärkste überlebt. Du kannst mir nicht weismachen …«

»Schön, aber wer redet von Natur? Wir leben in einer modernen Gesellschaft – ein künstliches Gebilde, das die Schwachen unterstützt«, unterbrach ihn die Aufmüpfige. »Und das ist einer der entscheidenden Faktoren für die Grundlage unserer Zivilisation, du Blödmann.«

Der Junge mit den Rastalocken setzte die Flasche ab, aus der er getrunken hatte. »Erstens sind wir trotzdem Tiere«, sagte er kopfschüttelnd und mit ausgestrecktem Finger. »Wir sind nicht immun gegen Naturgewalten. Und zweitens protestiere ich gegen deine ständigen

Beleidigungen, die eindeutig auf fadenscheinigen Argumenten ...«

Kate und ich saßen zwischen den beiden, und wie bei Zuschauern eines Tennisspiels flogen unsere Köpfe dauernd von einem zum andern.

»Ach, lass mich in Ruhe«, sagte die Aufmüpfige. Sie wandte den Kopf ab und machte eine abfällige Handbewegung. »Wir leben in einer Gesellschaft, in der Gliedmaßen ersetzbar sind und in der kinderlosen Frauen geholfen wird, damit sie Kinder zur Welt bringen. Erzähl mir nicht, dass das kein Riesenschritt zur Unabhängigkeit von der Natur ist!«

Der Rastalockenjunge holte tief Luft und wollte gerade wieder loslegen, da kam ich ihm zuvor. »Okay, sagen wir mal, ich gehe nach Edinburgh und werde Jongleurin. Ist das Schicksal oder Zufall?«, fragte ich.

»Ach, du meinst Ruth?«, sagte Kate. »Also, das ist was anderes. Sie hat bestimmt die Berufung zur Jongleurin in sich gehört.«

»Zweifellos«, sagte die Aufmüpfige.

»Ja«, nickte der Rastalockenjunge, »Ruth musste einfach Jongleurin werden. Sie wäre auch dann Jongleurin geworden, wenn sie im letzten Provinznest wohnen würde.«

Sie schwiegen einen Moment. Eine Frau mit einem Geschirrwagen beugte sich zu uns herüber und nahm Teller und Flaschen von unserem Tisch.

»Was sind denn das für großstädtische Ansichten?«, sagte das aufmüpfige Mädchen, als die Abräumfrau gegangen war. »Willst du damit sagen, dass einer, der in einem abgelegenen Provinznest wohnt, keine Ambitionen im Bereich der darstellenden Kunst haben kann?«

»Nein«, antwortete der Rastalockenjunge. »Nur dass die Gelegenheiten, verschiedene Berufsziele zu erreichen, von dem Ort abhängen, in dem man wohnt.«

»Hör nicht auf ihn«, sagte die Aufmüpfige zu mir und legte mir die Hand auf den Arm. »Er ist aus Cronulla.«

»So! Wer ist denn hier der Kleingeist? Ich will einfach nur sagen, dass du es als Meeresbiologe schwer haben wirst, wenn du in Alice wohnst«, sagte der Rastalockenjunge.

»Was mich wieder auf meine ursprüngliche Frage bringt«, sagte ich. »Bist du Meeresbiologe, *weil* du am Meer lebst, oder lebst du am Meer, *weil* du Meeresbiologe bist?«

Kate lächelte mich an und sagte: »Ich glaube, es ist eine Kombination aus eigener Entscheidung und Schicksal.«

Ich kippte mein restliches Wasser in mich hinein, dann verabschiedete ich mich von Kate und ihren Freunden und schlenderte durch den Park nach Hause. Mir ging durch den Kopf, dass ich gerade meine erste Vorlesung versäumt hatte. Nicht zu glauben. Sollte ich noch hingehen? Was, wenn sie über etwas wirklich Wichtiges gesprochen hatten, etwas, das im Examen vorkommen würde? Eine Vorlesung, eine einzige Vorlesung spielte doch sicher keine Rolle? Wenn ich den Stoff im Buch nachlesen würde, würde ich wohl trotzdem mitkommen.

Ich ging auf dem Radweg durch den Park. Von hinten kam ein Radfahrer und klingelte mit seiner kleinen Glocke. Wie soll jemand mit einer so klitzekleinen Glocke ernst genommen werden?

Kling, kling, aus dem Weg! Kling, kling.

Dalli, dalli! Alle zur Seite! Hier kommt eine dünne Person im Radlerdress auf einem Alu-Leichtrad mit schmalen Rädern.

Radfahrer sollten einen Gong haben. Ich bin sicher, die Leute hätten mehr Respekt vor ihnen, wenn sie einen Gong hätten. Und wenn sie sich nicht die Beine rasieren würden, würde das ihr Ansehen zusätzlich heben. Glauben sie denn ernsthaft, dass sie dadurch so viel schneller sind? Wenn die Haare an den Beinen so lang sind, dass sie sich in den Speichen verfangen, na gut. Das wäre etwas anderes, das könnte ich verstehen. Ansonsten überzeugt es mich nicht.

Ich meine, man muss sich nur mal die Tiere ansehen, für die Geschwindigkeit wirklich zählt: afrikanische Großkatzen zum Beispiel, Zebras, Antilopen. Die haben alle Haare! Hat man jemals einen Löwen gesehen, der sagt: »Mist, dieses Gnu hätte ich fangen können, wenn bloß nicht die verdammten Haare an den Beinen wären!«

Ich gehe also auf dem Radweg durch den Park. Mir fällt ein, ich könnte einkaufen fahren. Im Schrank ist nur noch eine Dose Artischockenherzen. Ich kenne keine Rezepte, für die man Artischockenherzen braucht.

Also, Zeit für einen Einkauf.

Ich gehe nach Hause, hole Grace und fahre mit ihr

zum Supermarkt. Wir kaufen ein. Wir stehen an der Kasse. Ich reiche Grace Sachen aus dem Einkaufskorb – keine schweren Sachen – und sie legt sie auf das Band. Sie macht das richtig gut. Ich rede mit ihr und mache ihr Mut. Die Umstehenden müssen mich für eine Idiotin halten.

Egal, ich hatte jedenfalls Geschirrspülpulver vergessen. Grace kam so gut zurecht und die Schlange hinter uns war so schrecklich lang. Es war nur zwei Gänge weiter, ich beschloss, sie einen Moment allein zu lassen. Ich wollte nur kurz hinspringen und mir das Geschirrspülpulver schnappen. In zwei Sekunden würde ich zurück sein. Sie musste ja nichts weiter tun als hier stehen bleiben, oder? Dumm, ich weiß. Im Nachhinein weiß ich es. Ich hätte inzwischen wissen müssen, dass ich sie nicht allein lassen durfte.

Ich ließ sie also an der Kasse stehen. Ich rannte zu dem Gang mit dem Reinigungspulver. Vielleicht hatte sie Angst bekommen, vielleicht war sie nur umhergelaufen, um mich zu suchen? Wer weiß?

Ich bog aus dem Gang, da sah ich es. Wie in Zeitlupe sah ich es. Sie geht durch die Kasse. Die Frau hinter der Kasse sagt: »He, Sie, kommen Sie zurück, sonst setzen Sie die …« Es ist, als sehe ich die Worte aus ihrem Mund kommen, und ich sehe auch, wie Grace an der Alarmschranke vorbeigeht. Sie hat eine Flasche Preiselbeersaft in der Hand. Ich sehe, wie sie weitergeht, wie sie den Kopf hin und her dreht und nach mir sucht, ich höre das Ticken an der Kasse, und der Alarm geht los, ÜI-I-P, ÜI-I-P, ÜI-I-P. Man kennt diesen ohrenzerfetzenden Ton, der sich anhört, als ob jemand schreit.

Ich stehe am Ende des Gangs. Grace wirbelt herum, ich sehe ihre weit aufgerissenen Augen.

Panik.

Ich sehe, wie ihr die Flasche Preiselbeersaft aus der Hand fällt, ihr Mund ist offen, sie presst die Hände auf die Ohren. Die Flasche knallt auf den Boden und zerspringt in tausend Stücke. Der Preiselbeersaft fließt über den Boden.

Ich renne auf sie zu, aber da sind all die Einkaufswagen im Weg und all die Menschen, die sich zusammendrängen, um zu sehen, was da vorn los ist. Ich schreie, ich versuche, Grace über den Alarmton hinweg zu beruhigen. »Kein Angst, Täubchen, es ist nichts.«

Ich schubse Menschen und Einkaufswagen aus dem Weg, aber alle drängen sich näher an die Ursache der Aufregung heran. Ich kann nicht zu ihr. Ich komme mir vor wie auf einem Fließband, das in umgekehrter Richtung läuft.

Ich sehe, wie von hinten ein Sicherheitsbeamter auf Grace zugeht.

Nein! Nicht anfassen!

Er nimmt sie am Arm. Sie hat ihn nicht kommen gesehen, sie wehrt sich, um sich aus seinem Griff zu befreien. Sie rutscht in dem Preiselbeersaft aus und stürzt. Ich sehe ihre Augen.

Panik.

Sie fällt auf den Boden, sie rutscht ein Stück, und die Glasscherben auf dem Boden schneiden ihr in Arme und Hände. Ich renne immer noch, ich versuche immer noch, an den blöden Einkaufswagen vorbeizukommen. Der Alarm macht Ü-I-I-P, Ü-I-I-P! Der Beamte beugt sich vor, fasst Grace wieder am Arm und zieht sie hoch, und sie strampelt und stößt kleine Quieker aus.

An ihrem Arm fließt Blut herunter. Der Beamte schreit sie an. »Beruhigen Sie sich, meine Liebe, beruhigen Sie sich doch!«

Sie reißt sich los und fällt wieder hin. Ich sehe ein großes Glasstück in ihrer Wade stecken. Ich schaufle mir einen Weg durch die Leute, ich schubse sie nach allen Seiten weg und schieße an der Kasse vorbei wie eine Kanonenkugel. Ich schließe die Arme um Grace und drücke sie fest an mich.

Ich bin da, ich bin da, ich bin da.

Ich halte sie im Arm und flüstere in ihr Ohr: »Schon gut, Täubchen, schon gut. Ich bin ja da.« Ich sitze auf dem Boden, Grace fest in meinen Armen, und sie bebt am ganzen Körper. Wir sind voller Blut und Preiselbeersaft. Im Sitzen wiege ich sie ein bisschen hin und her. Sie zittert und atmet stoßweise.

Ich werde sie nie mehr allein lassen.

23

Im Überwachungsbüro des Einkaufszentrums haben sie Grace die Arme und das Bein verbunden. Ich fahre Grace ins Krankenhaus. Eine Krankenschwester bringt sie in einen kleinen Raum. Von dem öffentlichen Telefon in der Eingangshalle rufe ich Mr Preston an.

»Ich bin im Krankenhaus«, sage ich. Während ich spreche, wickle ich die Telefonschnur rund um mein Handgelenk.

»Was ist passiert?«

»Ich habe sie allein gelassen. Nur für eine Sekunde. Im Supermarkt. Sie ist hingefallen und hat sich geschnitten.«

»Wie schlimm?«

»Ziemlich schlimm.«

»Ich komme sofort.«

Ich sitze eine Ewigkeit in der Eingangshalle. Ich habe eine Zeitschrift aufgeschlagen auf meinem Schoß liegen, aber ich lese nicht.

Mr Preston kommt in die Halle gestürmt. Er sieht mich und läuft auf mich zu. »Wo ist Grace?«

»Da drin«, sage ich und zeige auf den kleinen Raum. Ich schlage die Hände vors Gesicht und fange an zu heulen. »Es tut mir so Leid. Es ist meine Schuld. Ich habe sie allein gelassen. Ich bin weggegangen, um noch Geschirrspülpulver zu holen. Es ist meine Schuld.«

Er setzt sich auf den Kunststoffsessel neben mir und legt mir den Arm um die Schultern. Er zieht mich an sich und küsst mich aufs Haar. Dann steht er auf und geht in den kleinen Raum.

Mr Preston fährt uns nach Hause. Ein Bein und beide Arme sind verbunden. Zu Hause setze ich sie in ihren Sessel. Mr Preston macht Kaffee. Schweigend sitzen wir auf dem Sofa.

Schließlich sage ich: »Möchten Sie, dass ich aufhöre?«

Mr Preston runzelt die Stirn. »Grace hat gerade am eigenen Leib für Ihre Ausbildung bezahlt. Sie glauben doch nicht, dass wir jetzt mit jemand anderem wieder von vorn anfangen?«

Ich fühle mich schlecht. Ich fühle mich sehr schlecht.

Wir schweigen wieder.

Er trinkt seinen Kaffee aus. »Ich denke, es wird Zeit, dass ich nach Hause fahre. Es war ein ereignisreicher Tag.« Er steht auf und nimmt mir die Tasse aus der Hand. Er geht in die Küche. »Ich habe gerade mit meiner Ex-Frau Kaffee getrunken, als Sie anriefen. Wir sind sehr höflich zueinander, verstehen Sie. Das Höflichsein kann manchmal … sehr anstrengend sein.«

Ich weiß nicht, was ich sagen soll.

Mr Preston geht zu Grace, kniet vor ihr nieder und nimmt ihre Hände in die seinen. Er spricht leise auf sie ein, aber ich kann ihn nicht verstehen.

»Na, weißt du, du hast uns heute ganz schön erschreckt. Ich gehe jetzt. Sei bitte lieb zu meinem kleinen Kumpel. Wir können nicht zulassen, dass sie sich selber noch k. o. schlägt.«

Er küsst ihr die Hände und geht zur Haustür.

Auf der Veranda sage ich zu ihm: »Es tut mir so Leid. Ich werde sie nie wieder allein lassen. Ich war gedankenlos. Ich habe es falsch gemacht.«

Er nickt. Er schurrt mit der Schuhsohle über die Kante einer Stufe. Er stemmt die Hände in die Hüften. »Der Garten sieht gut aus«, stellt er fest.

»Ich habe Sie enttäuscht. Ich habe meine Arbeit nicht gut gemacht. Jetzt ist Grace wieder total durcheinander und ich bin schuld daran.«

Ich sehe ihn genau an. In seinen Augen sind Tränen. Er steht auf der Veranda und blickt in den Garten hinunter.

Ich kann es nicht fassen, er weint. Um Himmels willen, er ist ein Erwachsener!

»Es tut mir so Leid«, sage ich noch einmal.

»Jetzt halten Sie mal den Mund, ja? Die Schnitte werden heilen. Verstehen Sie? Sie machen Ihre Sache fantastisch.«

Dann dreht er sich um und sieht mir in die Augen.

»Ich weiß genau, wie Ihnen jetzt zu Mute ist. Sie machen sich Vorwürfe. Aber da kann ich Sie übertrumpfen. Ich war in der Nacht dabei, als Grace den Unfall hatte. Das war meine Schuld. Was sagen Sie jetzt?«

Zwei Tränen rollen ihm über die Wangen.

»Graces Schnitte werden heilen. Von dem, was ich ihr angetan habe, wird sie sich nie erholen – nie wieder.« Er streicht mit beiden Händen das Haar aus der Stirn und reibt sich die Augen. »Ich sage mir immer, sie war zur falschen Zeit am falschen Ort, aber die Wahrheit ist – ich selbst habe sie zu diesem Ort gebracht. Beide habe ich sie hingebracht.«

Er zieht ein Taschentuch aus der Tasche und wischt sich damit über die Augen.

»Ich muss los.«

Er geht die Treppe hinunter zu seinem Wagen. Bevor er die Tür öffnet, dreht er sich zu mir um.

»Ihre Probezeit ist übrigens vorbei.«

Dann fährt er davon, ohne sich noch einmal umzuschauen.

24

Heute Vormittag haben wir Prickles abgeholt. Wir haben ihn in einem Kissenbezug auf Graces Schoß gebettet. Ich habe Grace nicht aus den Augen gelassen. Seit dem Supermarkt hat sie mich nicht mehr angesehen.

Marie gab mir Tabletten und spezielles Futter für Prickles. Sie sagte, ein paar Wochen würde er noch Schmerzen haben, aber er würde darüber hinwegkommen.

Zu Hause wickelte ich ihn aus dem Kissenbezug und setzte ihn auf den Boden. Er lag eine Weile auf der Seite, und an der Stelle, wo sie ihn rasiert hatten, konnte ich eine lange Reihe Stiche auf seinem nackten kleinen Bauch sehen.

Ich nahm ihn vorsichtig auf und legte ihn Grace auf den Schoß. Sie schaute auf ihn nieder und streichelte seinen Rücken.

Ich saß auf dem Sofa und sah die beiden an: Grace mit verbundenen Armen und einem verbundenen Bein, Prickles mit den Stichen am Bauch – was für ein Paar.

Na klar, ich mache meine Sache fantastisch. Australiens Hauptpflegerin Nummer eins, das bin ich.

Ich sperrte die vordere und die hintere Tür ab, ging ins Arbeitszimmer und holte die Spukschachtel aus dem Regal. Eine Weile saß ich nur so am Schreibtisch und sah die Schachtel an. Ich fühlte mich schlecht. Ich kam mir vor wie ein Voyeur, aber ich konnte nichts dagegen tun – ich wollte mehr erfahren.

Ich hätte die Schachtel wegstellen können, stattdessen öffnete ich sie. Ich legte den Stapel, den ich schon gelesen hatte, zur Seite, und nahm den nächsten Zettel heraus. Er war mit Farbstift und in kindlicher Handschrift geschrieben. Eine Zeichnung war dabei, eine Kinderzeichnung mit einer großen gelben lächelnden Sonne in der Ecke. Ich saß an Graces Schreibtisch und las.

Liebe Tante Grace,
danke, dass du mit mir in den Zoo gegangen bist, als Mummy krank war. Die Affen haben mir am besten gefallen.

Ich habe Daddy erzählt, wie du mir Klavierspielen beigebracht hast.

Stell dir vor: Als ich nach Hause kam, hatte ich eine neue Schwester! Sie heißt Bianca.

Kann ich wieder mal bei dir übernachten?

Ich habe Tante Brioney gesagt, dass du besseren Kuchen backst als sie. Viele Grüße von Simone.

PS Ich habe ein Bild für dich gezeichnet, wie wir im Zoo bei den Affen sind.

Ich lächelte, als ich das Bild unter das Goldbändchen steckte. Ich kann mir vorstellen, wie gern Brioney hören wird, dass Grace besseren Kuchen backt als sie.

Die Holzdielen im Flur knarrten. Ich legte den

Deckel auf die Schachtel, ließ sie auf dem Tisch zurück und ging aus dem Zimmer.

Grace stand an der Haustür, die Augen starr geradeaus, mit der Nase ungefähr fünf Zentimeter vom Holz entfernt. Ich warf einen Blick durch den Flur. Prickles saß in Graces Stuhl, er leckte an seinen Stichen und machte ein selbstmitleidiges Gesicht.

»Willst du raus?«

Ich schob Grace ein wenig von der Tür zurück und öffnete sie. Als ich auf die Veranda trat, sagte eine Stimme: »Da sind Sie ja, Miss Grace! Wir haben Sie seit einer Ewigkeit nicht gesehen! Wie geht's Ihnen?«

Zwei alte Männer standen an der Gartentür. Beide trugen Hüte. Sie hatten Altmännerhemden mit je zwei gefältelten Brusttaschen an. Ihre Socken hatten sie bis an die Knie heraufgezogen und ihre Füße steckten in praktischen braunen Wanderschuhen.

Ich kann durchaus behaupten, dass sie wie ein Clowns-Paar aussahen. Sie wirkten, als kämen sie direkt aus einem alten Schwarzweißfilm. Ihre Kluft erinnerte stark an die Marx Brothers, das muss ich schon sagen.

»Sieht aus, als ob da jemand eine Freundin gefunden hat, was meinst du, Herb?«, sagt der eine.

Herb lacht, greift in die Tasche seiner ausgebeulten Shorts und zieht einen Tabakbeutel hervor. Er fischt ein Papierchen heraus und klebt es an seine Lippe. Er nimmt eine Prise Tabak und verteilt sie auf dem Papierchen, dann steckt er den Beutel wieder in die Hosentasche.

Der andere Mann betrachtet mich und schiebt mit

einem Finger seinen Hut auf den Hinterkopf. »Hallo! Wir machen uns nämlich Sorgen um den kleinen Burschen. Zufällig kamen wir gerade hier vorbei, und da dachten wir, wir fragen mal, ob er wohlauf ist.«

»Der kleine Bursche?«

»Das kleine Kerlchen von Miss Grace. Wissen Sie, er hat uns ziemlich regelmäßig besucht. Wir sehen ihn gar nicht mehr.«

»Sie meinen Prickles?«, sage ich.

»Das ist er, der kleine Bursche. Prickles. Genau das hab ich gesagt, Herb, Prickles.«

Herb schützt die Streichholzflamme mit seiner alten knotigen Hand und zündet seine Zigarette an. »Nein, hast du nicht, Bill, du hast ihn Patches genannt«, sagt er und schüttelt das Streichholz aus.

»Hab ich nicht! Warum hätte ich ihn denn so nennen sollen, he? Er hat doch überhaupt keine Flecken!«

»Hast du aber, Bill. Du hast gesagt: ›Ich hab Patches schon tagelang nicht gesehen‹, ich erinnere mich ganz genau, klar wie'n Glöckchen ist mir das im Gedächtnis.« Herb tippt sich mit dem Mittelfinger an die Stirn.

»Ich bin Rachel«, sage ich.

Sie sehen mich an. »Guten Tag, Miss Rachel. Ich bin Herb und das ist Bill. Wir wohnen ein Stück die Straße rauf.« Herb zeigt mit einem arthritisch verkrümmten Finger in die Richtung. Er zieht an seiner Zigarette, dann nickt er. »Wie gesagt, Patches besucht uns normalerweise regelmäßig, dann setzt er sich immer auf unserer Veranda in die Sonne und wir geben ihm unsere Essensreste.«

»Siehst du, Herb, da hast du's! Sie nennen ihn Prickles, nicht Patches.«

»Das hab ich doch gesagt.«

»Nein, hast du nicht, du hast Patches gesagt.«

»Hab ich nicht, warum sollte ich ihn Patches nennen? Er hat doch gar keine Flecken.« Herb zwinkert mir zu. Seine Hand liegt auf der Gartentür, der Zigarettenqualm schlängelt sich träge um sein Handgelenk. »Wissen Sie, Miss Rachel, Bill hört nicht mehr so gut wie früher.«

»Prickles war beim Tierarzt, er musste operiert werden«, sage ich.

»Hat wohl einen Unfall gehabt?«, fragt Herb.

»Der Mann von nebenan hat ihn in den Bauch getreten.«

Bill und Herb schütteln den Kopf. »Machen nichts als Ärger, die beiden. – Schön, dass sich wieder jemand ein bisschen um den Garten hier kümmert. Ist noch nicht lange her, da kamen wir mal vorbei, und ich hab zu Bill gesagt: ›Jammerschade, dass sich keiner um den Garten kümmert, nach all der Arbeit, die Miss Grace reingesteckt hat‹. Hab ich gesagt, Bill, nicht? Jammerschade. Bill und ich, wir sind so manches Mal hergekommen und haben ihr ein paar Tipps gegeben. Nicht wahr, Miss Grace?«

»Das stimmt, Miss Rachel«, sagt Bill, nimmt seinen Hut ab und reibt mit dem Daumenballen über seinen kahlen Kopf. »Wir sind hergekommen und Miss Grace war hier im Garten und hat geschnitten oder gegossen oder sonst was. Wir haben ein bisschen Pause gemacht und uns über dies und das unterhalten. Meistens ist Herb dann zu uns nach Hause spaziert und hat uns ein paar schöne kalte Bierchen geholt.«

Herb rollt sich wieder eine Zigarette. »Wir haben ihr Geschichten erzählt von damals, als wir Jungs waren, und sie hat gelacht. Hat sie nicht schön gelacht, Bill?«

»Ja.«

Die beiden Männer stehen am Zaun und schauen in den Garten.

»Das bringt mich auf die Idee, Herb – warum gehst du nicht kurz nach Hause und holst uns ein paar kalte Bierchen?«

»Haben Sie Lust auf ein schönes Kaltes, Miss Rachel?«, sagt Herb.

»Ach doch, Herb, ich denke schon.«

»Meinen Sie, dass Miss Grace auch eins mag?«, fragt Herb.

»Bestimmt«, antworte ich lächelnd.

Herb spazierte gemächlich die Straße hinauf, um uns ein paar schöne Kalte zu holen. Grace und ich setzten uns in die Sessel auf der Veranda. Bill ließ sich auf der obersten Treppenstufe nieder und fächelte sich mit seinem Hut Luft ins Gesicht. »Na, Miss Grace, ist das nicht fast wie in alten Zeiten, eh? Die Petunien haben sich ja wieder recht gut gemacht.«

Herb kam mit vier Bierflaschen in den Händen die Straße herunter.

Wir blieben bis zum Sonnenuntergang sitzen, und Herb machte ab und zu einen kleinen Gang, um uns noch ein Bier zu holen. Herb und Bill erzählten von der

Zeit, als sie Jungen waren und die Leute Milch, Obst und Gemüse vom Pferdewagen hier in der Straße kauften. Sie erzählten Horrorgeschichten von der Arbeit in den Minen vor vierzig Jahren. Sie erzählten von Grace.

»Sie hat einen richtig ordentlichen Apfelkuchen gebacken. Manchmal hatte Miss Grace zu viel gebacken«, sagte Herb. »Dann hat sie uns ein paar Stücke rausgebracht, schön in ein Geschirrtuch eingewickelt. Enorm guten Apfelkuchen hat sie gebacken. Wir haben ihn mit nach Hause genommen und zum Tee gegessen.«

»Ja«, nickte Bill. »Sie war vielleicht nicht so perfekt im Garten, aber einen ordentlichen Apfelkuchen hat sie gebacken.«

Eine Weile schwiegen wir. Herb rieb sich mit seiner schwieligen Hand durchs Gesicht, dass es ein Kratzgeräusch gab.

Prickles kam aus dem Haus gehumpelt, stieg auf Bills Schoß, und die beiden schüttelten empört die Köpfe über seine Verletzungen.

»Wir haben uns eine Weile um Patches gekümmert«, sagte Herb. »Er ist zu uns gekommen und war ganz durcheinander. Wir wussten ja nicht, was passiert war. Wir kamen her und Miss Grace war nicht da.«

»Allmählich haben wir uns dann Sorgen um sie gemacht«, erzählte Bill weiter. »Wir haben uns eine Weile mit dem Mann vom Sicherheitsdienst unterhalten, der hier immer stand. Er hat uns gesagt, Miss Grace hätte einen Schlaganfall gehabt oder so was.«

»Schlimme Sache für eine so junge Person«, sagte Herb.

»Schlimm«, sagte Bill. »Jetzt haben wir Miss Grace seitdem das erste Mal wieder richtig gesehen. Außer flüchtig im Vorbeigehen.«

»Hat Grace viel Besuch gehabt?«, fragte ich.

»Na ja, da waren ihre Schwestern mit den Kindern«, sagte Bill. »Die waren ziemlich regelmäßig da, Herb, nicht?«

Herb nickte. »Ab und zu mal ein paar junge Frauen. Und dann natürlich ihre Mutter. Sie war eine richtige Dame, das war sie, die Mutter von Grace, Gott segne sie. Grace hat schwer gelitten, als sie so plötzlich tot war.«

»Was ist passiert?«, fragte ich.

»Sie haben Urlaub an der Küste gemacht wie immer um diese Jahreszeit«, sagte Bill. »Sie hatten da Verwandte, nicht wahr, Herb?«

»Richtig, Grace hatte irgendwo an der Küste Verwandte, und die Eltern waren unterwegs zu ihnen. Ihr Vater ist, glaube ich, am Steuer eingeschlafen.«

»Nein, du bist vielleicht ein Esel!«, sagte Bill. »Ein junger Kerl, der noch gar nicht lange seinen Führerschein hatte, der ist in einer Kurve in sie reingebrettert.«

»Jedenfalls hatten sie einen schweren Zusammenstoß. Sie sind umgekommen. Grace war ganz und gar verstört. Sie und ihre Mum waren sich sehr nah«, beendete Bill die Geschichte.

Einen Moment saßen wir stumm da. Ich dachte an die Ansichtskarte von Graces Mutter. Plötzlich fühlte ich mich sehr traurig.

»Der junge Preston war auch oft hier. Obwohl, von dem halte ich nicht viel«, sagte Bill.

»Zu neunmalklug«, pflichtete Herb bei.

»Denkt, er wär ein Mann von Welt«, sagte Bill.

Ich war überrascht, schwieg aber. Das klang nicht nach dem Mr Preston, den ich kannte. Vielleicht war er in seiner Selbsteinschätzung inzwischen milder geworden.

Als flackernd die Straßenlampen angingen, rappelten sich Bill und Herb auf. »So, Miss Rachel, danke für Ihre Gastfreundschaft, aber jetzt wird es Zeit für unseren Tee«, sagte Herb.

Jeder tippte an seinen Hut, dann gingen sie langsam die Straße heimwärts.

Ich brachte Grace ins Haus und setzte sie aufs Sofa, wo sie fernsehen konnte, während ich kochte. Es gab gegrillte Lammkoteletts mit Honig und Sojasauce überzogen, zuletzt streute ich Rosmarin darüber. Ich trennte das Fleisch von den Knochen und schnitt es in mundgerechte Stücke. Die Knochen legte ich auf meinen Teller. Ich richtete die Fleischstücke auf einem Bett von Salatblättern an. Wir setzten uns zusammen an den Esstisch.

Ich fütterte Grace, weil ich annahm, ihre Arme würden schmerzen. Morgen sollte die Krankenschwester kommen und die Verbände wechseln.

Nach dem Essen setzte ich Grace wieder aufs Sofa und legte ihr verletztes Bein auf den niedrigen Tisch. Ich war müde. Wir schauten einen Film.

Ich dachte daran, was Bill und Herb erzählt hatten.

Ich dachte an Graces Mutter. Wie mochte Grace zu Mute gewesen sein, als sie die Ansichtskarte bekommen hatte? Zu diesem Zeitpunkt musste sie schon gewusst haben, dass ihre Eltern tot waren. Wie schrecklich.

Ich drückte Grace ein bisschen. »Es tut mir so Leid, Gracey.«

Gegen ein Uhr wachte ich auf. Ich saß immer noch auf dem Sofa. Grace war neben mir eingeschlafen. Aus dem Fernseher plärrten Werbevideos. Ich weckte Grace, führte sie in ihr Zimmer und brachte sie zu Bett.

Während ich sie rundherum zudeckte, fragte ich: »Vermisst du deine Mum?«

Grace war schon wieder eingeschlafen.

Ich warf einen Blick durch den Kleiderschrank, da sah ich die Spukschachtel auf dem Schreibtisch stehen.

Nur noch einen, dann gehe ich schlafen.

Ich griff in die Schachtel und zog zwei Zettel heraus, die aneinander geheftet waren.

Nur noch zwei, dann gehe ich schlafen.

Ich setzte mich in den Lehnstuhl und las.

Yvonne,
ich kann nicht schlafen. Ich träume hin und wieder von dir. Diesmal schreibe ich dir. Ich könnte theatralisch sein und sagen, das ist das letzte Mal, und ich könnte dir eine Art Ultimatum stellen. Aber ich tu's nicht.

Ich schreibe dir wieder. Ich werde immer wieder schreiben, wenn mich mein Unterbewusstsein aus meinem Dornröschenschlaf rüttelt – wenn es mir auf die

194

Schulter tippt und mich daran erinnert, was ich verloren habe.

Ich kannte dich, als du fünf warst, und wir oft Verstecken spielten. Eines Tages hattest du dich versteckt und das Bücherregal im Arbeitszimmer deines Vaters umgestoßen. Das dicke Wörterbuch fiel mir auf den Kopf und ich wurde ohnmächtig.

Ich kannte dich, als du zehn warst und ein Furunkel am Hintern hattest. Du musstest ein Kissen mit in die Schule nehmen. Da hast du mich dazu gebracht, auch ein Kissen mitzunehmen, damit du dich nicht so genieren musstest.

Ich kannte dich, als du neunzehn warst. Da kannte ich dich schon so gut, dass wir an dem Tag, als wir mit der Manly-Fähre vom Circular Kai abfuhren, die Regeln von »Zwanzig Fragen« in fünf Fragen änderten, denn mehr Fragen brauchten wir nicht, um genau zu wissen, was die andere gerade dachte.

Heute kenne ich dich nicht.

Ich weiß nicht, wo du bist. Ich weiß nicht, was du in deiner Freizeit machst. Ich kenne deine Familie nicht.

Das alles macht mich traurig.

Ich glaube, wenn wir uns wiedersehen würden, wüssten wir nicht, was wir sagen sollten. Ist das nicht schrecklich?

Ich wollte dich nur wissen lassen, dass ich dich nicht vergessen habe und dass ich dich vermisse.

Wenn du mich brauchst, weißt du, wo ich bin.

Liebe Grüße

Grace

Liebe Mrs Preston,
ich beziehe mich auf Ihr Schreiben vom 14. Oktober.

Ihr Brief ist nicht der erste dieser Art, den ich bekomme. Man könnte es als Berufsrisiko bezeichnen, mit derartigen Briefen beglückt zu werden. Ihrer ist jedoch der erste, dem ich eine Antwort zugestehe.

Ich danke Ihnen ausdrücklich für Ihre Vorschläge, was ich mir »an meine versnobte, piekfeine Möse hängen kann«. Das fand ich durchaus erheiternd. Wenn Sie erlauben, werde ich einige Ihrer Beleidigungen verwenden, falls mir meine eigenen einmal ausgehen sollten. Ich glaube allerdings, dass Sie Ihr Gift in die falsche Richtung versprühen.

Obgleich ich eine psychologische Grundausbildung habe, halte ich mich nicht für ausreichend qualifiziert, Ihnen zu raten. Sie leiden eindeutig unter Wahnvorstellungen. Ich finde es zwar sehr lieb von Ihnen, dass Sie Ihren Mann für so faszinierend einschätzen, dass ich mich »zu ihm hingezogen fühlen« würde, und es schmeichelt mir, dass Sie glauben, er könne meinen angeblichen »Versuchungen« nicht widerstehen. Vielleicht sollten Sie aber doch erwägen, sich in professionelle Behandlung zu begeben.

Haben Sie schon einmal daran gedacht, mit Ihrem Mann über Ihre Sorgen zu sprechen? Vielleicht sollten Sie überlegen, ihm Ihre Befürchtungen mitzuteilen? Haben Sie das Gefühl, dass Sie nicht offen über Ihre Empfindungen und Ängste mit ihm sprechen können? Wenn ja, ist dann Ihre Beziehung tatsächlich so, dass Sie sie erhalten möchten?

Ich kann Sie nur ermuntern, sich einen netten, interessierten Freundeskreis zu schaffen. Vielleicht könnten Sie sich einem anregenden Hobby widmen?
Mit freundlichen Grüßen,
Grace

Ich rollte die beiden Zettel in meinen Fingern hin und her. Mir taten die Beine weh, so müde war ich. Mir tun immer die Beine weh, wenn ich übermüdet bin. Ich sah auf die Uhr. Halb zwei Uhr morgens. Was hielt mich so spät noch auf den Beinen?

Ich steckte die Briefe unter das Band zu den anderen Sachen, die ich schon gelesen hatte. Ich schob die Spukschachtel wieder auf ihren Platz hinter den Büchern. Ich ging durch den Kleiderschrank und in mein Zimmer.

Ich hatte auch so eine Freundin wie Yvonne. Sie hatte neben uns gewohnt, als ich klein war. Das war in dieser magischen Zeit vor der Schule, als es noch keinerlei Pflichten gab, es sei denn, die Mutter trug einem etwas auf. Gleich nach dem Frühstück ging ich zu Anna hinüber und schaute mit ihr Trickfilme. Wir machten Tierbabys aus Pappkartons und spielten Verkleiden mit den ausrangierten Sachen meiner Mutter. Annas Familie ist weggezogen.

Ich dachte an Yvonne, und es war mir unangenehm, wie ich mit ihr gesprochen hatte. So kalt und nüchtern. Ich hatte ja nicht gewusst, wer sie war.

Was Anna jetzt wohl macht?

25

Ich schlug die Augen auf und schaute auf die Uhr. Es kam mir vor wie fünf Minuten später, aber es war tatsächlich acht Stunden später. Ich hatte wieder verschlafen. Ich sprang aus dem Bett, lief zu Grace ins Zimmer und brachte sie zur Toilette.

Es klopfte an der Haustür. Ich öffnete im Schlafanzug und linste durch den Spalt, den die Kette zwischen Tür und Pfosten freigab.

Es war Mr Preston mit einer Einkaufstüte in der Hand. Er streckte sie mir entgegen. »Morgen, Kumpel. Ich dachte, ich komme und mache Frühstück für unsere Invaliden.«

Während er das Frühstück zubereitete, duschte ich ausgiebig *und* bei geschlossener Tür. Es ist so schön, lange zu duschen. Es ist schön, dabei die Tür schließen zu können. Seit ich hier bin, habe ich immer nur kurz und bei offener Tür geduscht, damit ich es höre, falls Grace mich braucht.

Ich trocknete meine Haare und zog Jeans und T-Shirt an. Gerade, als Mr Preston gebratenen Speck, Eier und Tomaten brachte, kam ich aus meinem Zimmer. »Das duftet ja köstlich«, sagte ich, nahm die Kaffeekanne und meinen Teller und trug beides hinaus auf die Terrasse. Die Sonne schien durch den rankenden Wein.

Ich holte Grace und Mr Preston brachte auf einem Tablett die restlichen beiden Teller und die Tassen. Wir setzten uns zusammen an den Tisch. Mr Preston schnitt Grace das Frühstück zurecht und reichte ihr eine Gabel. Sie spießte einen Bissen auf und steckte ihn in den Mund.

»Es tut mir Leid wegen neulich. Ich wollte Sie nicht mit meinen Problemen belasten«, sagte er und häufte sich einen Berg Essen auf die Gabel.

»Macht nichts«, sagte ich. »Sie haben gesagt, Sie hatten einen schweren Tag.«

»Ja. Ich glaube, ich habe erzählt, dass ich mich mit meiner Ex-Frau getroffen hatte.«

»Sie sagten, Sie fanden es anstrengend.«

Mr Preston runzelte die Stirn und kaute eine Weile.

»Es geht ihr sehr gut und ich freue mich für sie.«

»Haben Sie Kinder miteinander?«, fragte ich und mahlte ein bisschen Pfeffer über mein Frühstück.

»Nein. Aber jetzt ist sie schwanger.« Er goss Kaffee ein. »Meine Frau, das heißt meine Ex-Frau, ist ein wunderbarer Mensch. Wir haben uns …«, Mr Preston hob den Kopf und sah mir in die Augen, »… auf der Universität kennen gelernt. Ich studierte natürlich Jura, etwas anderes hätte mein Vater nicht gebilligt. Sie studierte Kunst. Wir verstanden uns auf Anhieb. Wir hatten einen großen Freundeskreis. Wir gingen gemeinsam auf Partys und ins Theater. Wir sprachen über Literatur. Wir waren in den meisten Punkten einer Meinung. Nach drei Jahren waren wir immer noch in den meisten Punkten einer Meinung, da ging ich zu ihrem Vater und hielt um ihre Hand an.« Mr Preston schwieg einen Augenblick, um einen Bissen zu essen.

»An einem wunderschönen Herbsttag heirateten wir. Richtig in einer Kirche. Danach fuhren wir in die Flitterwochen auf die griechischen Inseln.«

Mr Preston unterbrach sich wieder, um zu essen.

»Wir kauften ein Haus, wir arbeiteten beide. Als ich genug verdiente, gab sie ihre Stelle auf und blieb zu Hause. Sie kochte fantastische Gerichte für meine Geschäftspartner. Sie nahm Kunstunterricht und stattete unser Haus mit herrlichen Aquarellen, Wandteppichen und dergleichen aus.« Mr Preston nahm einen Schluck Kaffee und füllte unsere Tassen nach.

»Abends, wenn ich nach Hause kam, setzten wir uns zusammen, unterhielten uns über meinen Tag und unterhielten uns über ihren Tag, und alles war wunderbar.«

Mr Preston schob seine reichlich beladene Gabel in den Mund.

»Eines Tages kam ich ins Büro, da saß Grace an ihrem Schreibtisch und weinte. Ich fragte, was los sei. Sie sagte, sie habe auf ihrem Weg zur Arbeit einen Krankenwagen gesehen, sie sei an den Randstein gefahren und der Wagen vor ihr sei auch an den Randstein gefahren, und dann sei der Krankenwagen an ihnen vorbeigefahren.«

Mr Preston stockte und sah über die Terrasse hinaus in den Garten.

»Sie sagte, sie habe auf einmal darüber nachgedacht, dass ein Rettungswagen gerufen wird, wenn jemand verletzt oder in Gefahr ist, und dass dann alle Platz machen, damit die Sanitäter so schnell wie möglich zu dem Betreffenden gelangen können. Da habe sie auf einmal erkannt, sagte sie, wie wundervoll das sei. Wir alle, jeder Einzelne in unserer Gesellschaft macht Platz, damit jemand, den man überhaupt nicht kennt, Hilfe bekommt. Und dann brach sie wieder in Tränen aus.« Mr Preston kratzte mit dem Messer die Eireste von seinem Teller und strich sie am letzten Stück Toast ab.

»Ich saß auf der Tischkante und sah diese Frau an, die hemmungslos weinte und so verwundbar war. Eine Frau, die ich immer für hart im Nehmen gehalten hatte, war zu Tränen gerührt von einer so selbstverständlichen Sache. Plötzlich spürte ich einen unglaublichen Riss in der Brust. Ich empfand ein dringendes, verzweifeltes Bedürfnis, auf sie aufzupassen und mich um sie zu kümmern.«

Mr Preston legte Messer und Gabel zusammen und schob seinen Teller weg. Er zog ein Taschentuch aus der Hosentasche und wischte sich Hände und Mund ab.

»Ich liebte meine Frau, sie war meine Freundin und wir hatten es schön miteinander, aber als Grace weinte, wusste ich, dass mich in diesem Augenblick die stärkste Empfindung gepackt hatte, die ich in meinem Leben je hatte. Waren Sie schon einmal verliebt?«

Ich schüttelte den Kopf. Ich war schon einmal verknallt, aber das ist nicht das Gleiche.

Er angelte sich Graces Teller und stellte ihn vor sich hin. Er fing an, in den übrig gebliebenen Speckstückchen zu stochern.

»Sie kennen sicher das Lied von Melanie Charity. Es heißt *Never Be the Same*. Darin geht es um eine Freundschaft, aus der mehr wird. Ein wunderschönes Lied. So war mir zu Mute. Ich wollte einfach bei ihr sein, wenn sie traurig war. Ich wollte derjenige sein, der sie wieder froh machte. Ich wollte sein, wo *sie* war.«

Mr Preston kratzte mit seinem Messer die Reste von Graces Frühstück auf seine Gabel.

»Ich dachte die ganze Zeit an sie. Ich konnte nichts dagegen tun. Ich ging durch die Straße, sah einen Blumenladen und dachte an Grace. Ich kaufte einen Strauß Blumen und brachte ihn meiner Frau, und sie sagte: ›Wie aufmerksam.‹ Aber ich wusste, als ich ihr die Blumen schenkte, dass ich dabei an Grace gedacht hatte, und ich kam mir gemein vor.« Er trank wieder einen Schluck Kaffee.

»Nach einem Jahr kaufte ich noch immer Blumen für Grace und schenkte sie meiner Frau. Inzwischen wusste ich, dass es nicht nur eine vorübergehende Verliebtheit war. Ich wünschte, es wäre so gewesen. Nach wie vor wollte ich sein, wo Grace war, und ich wollte es immer intensiver. Ich sagte meiner Frau, ich liebe sie und sie sei mir wichtig, trotzdem wolle ich mein weiteres Leben nicht mit ihr verbringen. Sie weinte.«

Mr Preston trank wieder Kaffee.

»Ich war genauso traurig, wir hatten immerhin sehr viel gemeinsam erlebt. Sie fragte, ob es eine andere gäbe, und ich zögerte. Meine Frau nahm es als ein Ja. Ich versuchte, es ihr zu erklären, aber ich spürte, dass ich sie damit nur noch mehr verletzte.«

Mr Preston stellte Graces inzwischen blanken Teller auf seinen eigenen. »Essen Sie das noch?«, fragte er und deutete auf meinen Teller. Ich schüttelte den Kopf. Mr Preston beugte sich herüber, nahm meinen Teller und stellte ihn vor sich hin. Dann erzählte er weiter: »Ich zog aus. Sie behielt das Haus, und ich zog in eine Wohnung, die wir in der Stadt besaßen. Hin und wieder treffen wir uns auf einen Kaffee. Sie ist mit einem anderen zusammen. Sie erwarten ein Baby.«

Wir schwiegen einen Augenblick.

»Verstehen Sie, es ist inzwischen ein hoffnungsloser Fall. Ich liebe Grace. Ich habe versucht, andere Menschen kennen zu lernen, und sie mögen nett oder hübsch oder intelligent sein, ich vergleiche sie immer wieder unwillkürlich mit Grace, und das ist nicht fair. Ich werde nie mehr mit einer anderen Frau glücklich sein. Sie ist die Einzige für mich – Ende der Geschichte.«

Mr Preston lächelte trocken.

»Jetzt hoffe ich jeden Tag, dass sie irgendwann einmal wieder so sein wird wie früher, und weiß doch, dass das wahrscheinlich nie der Fall sein wird.«

Mr Preston kratzte die Reste auf meinem Teller zusammen. Er schwieg, weil er mit seiner Geschichte fertig war. Ich schwieg, weil ich sprachlos war.

Ich konnte nicht glauben, dass Mr Preston die Lieder von Melanie C kannte.

26

Plötzlich steckte Jan den Kopf durch die Terrassentür, und ich erschrak so, dass ich beinahe eine Herzattacke bekommen hätte. »Hallo! Ich habe geklopft, aber es ist niemand gekommen. Ich dachte mir schon, dass du hier draußen bist. Ach, hallo, Mr Preston, ich habe Sie gar nicht gesehen. Habe wohl gerade das Frühstück verpasst? Na schön, macht nichts, wie?«

Mr Preston stellte die Teller auf das Tablett. »Soll ich Ihnen Kaffee machen?«

»O ja, bitte, Darl. Das wäre himmlisch.«

»Auch noch Kaffee, Kumpel?«, fragte Mr Preston über die Schulter, während er das Tablett ins Haus trug.

»Ja, bitte.«

»Nun«, sagte Jan, setzte sich und zupfte an ihrer Schwesterntracht herum, »was macht unsere Patientin heute? Ich habe gehört, wir müssen Verbände wechseln?«

Mr Preston kam mit einer Kanne frischem Kaffee zurück und wir blieben noch eine Weile draußen sitzen. Während wir Kaffee tranken, machte Mr Preston Konversation mit Jan.

Danach ging ich in die Küche, um das Geschirr zu spülen, und Jan wechselte Grace die Verbände. Mr

Preston sah eine Weile zu, dann half er beim Abtrocknen.

Ich schaute auf die Uhr. Zeit für die Uni. Ich ließ Mr Preston und Jan plaudernd auf dem Sofa zurück und machte mich auf den Weg durch den Park.

Im Vorlesungssaal setzte ich mich neben Hiro. Der Dozent erinnerte uns daran, dass in ein paar Wochen eine Arbeit abzugeben sei. Ich fragte Hiro, ob er Lust hätte, zu mir zu kommen und mit mir für die Arbeit zu lernen. Natürlich wurde ich schrecklich rot, aber irgendwie brachte ich es hinter mich.

Er lächelte und sagte, er würde sehr gern kommen. Wieder das Flattern im Bauch. Ich schrieb ihm die Adresse auf einen Zettel und gab sie ihm. Für einen Moment berührten sich unsere Hände. Ich spürte Elektrizität durch meinen Arm zucken.

Oooh, Hiro. Lay your love on me.

Wir machten aus, dass ich in die Bibliothek gehen und Bücher ausleihen würde und dass wir uns dann am Nachmittag bei mir zu Hause treffen würden.

Ich hüpfte singend durch den Park.

Jan war gerade fertig zum Gehen, als ich zurückkam. »Du strahlst ja so, Darl! Richtig aufgekratzt siehst du aus«, sagte sie mit einem Zwinkern in den Augen. »Deine Mutter hat vorhin angerufen.«

Ich lief ins Bad, legte Make-up auf und bürstete mein Haar. Ich lief wieder hinaus und hielt Ausschau von der vorderen Veranda.

Noch nicht da – gut.

Ich rannte durch das Haus und sammelte nicht vorhandene Staubflöckchen vom Boden auf. Ich bürstete Grace das Haar und wusch ihr Gesicht. Ich rannte wieder auf die vordere Veranda.

Noch nicht da – gut.

Ich hastete in die Küche und riss die Kühlschranktür auf. Ich nahm einen Glaskrug aus dem Schrank und füllte ihn mit eiskaltem Wasser aus dem Kühlschrank. Ich schnitt eine Zitrone in Scheiben und warf sie in den Krug. Ich holte drei Gläser aus dem Schrank und polierte sie mit einem Geschirrtuch, bis sie glänzten.

Ich lief auf die vordere Veranda.

Ich sah Hiro mit seinem Rucksack über der Schulter die Straße entlangkommen, die andere Hand hatte er in der Tasche seiner weiten Shorts.

Ich rannte wieder ins Bad, um mein Make-up und meine Frisur zu kontrollieren. Ich flog aus dem Bad ins Wohnzimmer und warf mich aufs Sofa. Ich lag da, eine Hand hinter dem Kopf, und bemühte mich, so lässig wie möglich auszusehen.

Ich hörte, wie Hiro die Gartentür öffnete. Ich hörte seine Schritte auf dem Gartenweg, auf der Treppe, auf der Veranda. Er klopfte.

Ich lag auf dem Sofa, das Herz pochte laut in meiner Brust.

Bloß nicht zu eifrig erscheinen: ein Elefant, zwei Elefanten, drei Elefanten.

Ich stand auf und streckte den Kopf in den Flur.

»Oh, hallo«, sagte ich und versuchte, so zu klingen, als hätte ich seinen Besuch vergessen. »Komm rein.«

Hiro schlenderte durch den Flur ins Wohnzimmer und warf seinen Rucksack auf das Sofa.

»Das ist aber ein schönes Zuhause«, sagte er und lächelte dieses wunderschöne, breite, freundliche Lächeln.

»Oh, ja …«

Überleg dir was Witziges, überleg dir was Witziges.

Mein Verstand war eine einzige Leerstelle. Wir standen im Wohnzimmer und strahlten einander an.

»Willst du dich nicht setzen? Ich hol uns was zu trinken.« Im Vorbeigehen zog ich wie beiläufig einen der Stühle am Esstisch heraus. Er blieb an der Teppichkante hängen und kippte hintenüber.

Ich hob den Stuhl auf und machte dabei – ich darf gar nicht daran denken – einen albernen kleinen Hopser.

Ich gehe in Richtung Küche, ihm entgegen. Im gleichen Moment kommt er mir entgegen, um sich auf den Stuhl zu setzen. Wir stehen plötzlich einen halben Meter voreinander. Ich weiche nach rechts aus, er weicht nach rechts aus. Ich wende mich nach links, er wendet sich nach links. Und schon mache ich unwillkürlich diese gestelzten Buschtanz-Bewegungen, die wir im Sportunterricht immer machen mussten.

»Tanz Dosie-Doe«, rufe ich und hüpfe um ihn herum. Natürlich tanzen sie in Taiwan nicht Dosie-Doe und deshalb pralle ich bei einer Rückwärtsbewegung meines hektischen Tanzes mit ihm zusammen und stoße ihn aufs Sofa. Da liegt er und schaut mich verblüfft an.

Ich darf nicht daran denken.

Wie ich so dastehe und ihn auf dem Sofa strampeln sehe, merke ich, dass ein tiefes Erröten im Anmarsch ist. Ich laufe in die Küche und halte den Kopf in den Kühlschrank.

Es vergeht nicht! Es vergeht nicht!

Ich nehme den Krug Wasser aus dem Kühlschrank. Ich versuche, Hiro den Rücken zuzukehren, während ich wieder zu ihm gehe. Ich mache einen Schritt rückwärts und spüre etwas Weiches unter meinem Fuß. Ich mache einen zweiten Rückwärtsschritt und stoße wieder mit Hiro zusammen, weil er direkt hinter mir steht. Ich schaue zu Boden und knalle mit dem Hintern in ihn hinein. Neue heiße Wellen von Rot überfluten meine Wangen.

Das Weiche ist sein Fuß. Er versucht, nach hinten auszuweichen, aber weil ich noch immer auf seinem Fuß stehe, fällt er wieder hin.

Das läuft gar nicht gut.

Ich nehme meinen Fuß von seinem, stolpere aber über sein anderes Bein. Ich stürze. Ich habe immer noch den Krug in der Hand, und im Fallen gieße ich das eiskalte Wasser samt den Zitronen über Hiro.

Nein, das läuft absolut nicht gut.

Wir sitzen in einem Knäuel auf dem Küchenboden. Unsere Beine haben sich ineinander verheddert. Hiro ist tropfnass. Auf seiner Schulter liegt eine Zitronenscheibe.

Ich fange an zu lachen. Er fängt an zu lachen. Wir wälzen uns auf dem Küchenboden und halten uns die Bäuche vor Lachen.

Ich schaue auf, da steht Grace im Wohnzimmer und sieht zu uns herüber.

Ich stehe auf und strecke die Hand aus, um Hiro aufzuhelfen. Er lächelt mich an. »Kann ich dir denn trauen?«, fragt er. Ich ziehe ihn hoch, und er schüttelt sich das Wasser aus den Haaren.

Oh, oh, oh, I want to hear you say, I love ya, uh ha.

Ich mache Hiro und Grace miteinander bekannt. Er hält ihr die Hand hin. Als sie in die andere Richtung schaut, macht er ein überraschtes, verlegenes Gesicht.

»Grace hat eine Hirnverletzung«, erkläre ich.

»Oh … was ist passiert?«, fragt er.

»Sie hatte einen Unfall.«

»Was für eine Art Unfall?«

Ich sehe ihn verständnislos an. »Das weiß ich nicht. Ich habe noch nicht gefragt.«

Im Geist höre ich Bills Stimme: »Sie hatte einen Schlaganfall oder so was.«

Ich habe noch nie gefragt!

Ich bringe Grace zu ihrem Sessel. Prickles kommt zur hinteren Tür hereingehumpelt.

»Die Katze hatte auch einen Unfall?«, fragt Hiro.

»Ja«, sage ich, hebe Prickles vom Boden auf und lege ihn Grace behutsam auf den Schoß.

»Alle um dich herum haben Unfälle gehabt«, sagt er stirnrunzelnd.

Das finde ich plötzlich urkomisch. Hält er mich für eine Art weibliche Version von Frank Spencer? Glaubt er etwa, ich habe Grace die Hirnverletzung beigebracht und der Katze den Bauch aufgerissen? Vielleicht in einer Art Comedy-Slapsticknummer? Ich fange wieder an zu lachen. Verblüfft sieht mich Hiro an. Ich muss mich vornüberbeugen und mir den Bauch halten. Schließlich lächelt Hiro und bald lacht er genauso wie ich.

Als wir uns erholt hatten, setzten wir uns an den Esstisch und lernten ungefähr eine Stunde für unsere Arbeit. Wenn Hiro sich konzentrierte, runzelte er immer die Stirn und streckte dabei die Zungenspitze heraus.

Nachdem wir mit der Lernerei fertig waren, setzten wir uns auf die Terrasse in den Schatten der Rankpflanzen. Hiro stellte ein Bein auf den Sessel neben sich. Ich konnte sehen, wie sich seine Wadenmuskeln zusammenzogen und entspannten, zusammenzogen und entspannten.

Ich war wie hypnotisiert.

»Als Erstes ist mir aufgefallen, dass der Geruch hier anders ist. Ich rieche die Eukalyptusbäume, wie ihr sie nennt. Und die Luft ist viel trockener hier.«

Wir unterhielten uns lange. Ich beobachtete, wie er lächelte und lachte. Ich beobachtete, wie er die Stirn runzelte und ein trauriges Gesicht machte, als er über seine Familie und seine Freunde zu Hause sprach. Seine Haut ist glatt und karamellfarben.

Er ist so hübsch.

Als die Sonne allmählich schwächer wurde, stand Hiro auf und streckte sich. Er ging ins Haus, um seine Bücher zusammenzupacken. »Ich spiele morgen Abend Cello im Park – um sieben Uhr. Hast du Lust zuzuschauen?«

»Gern!«

»Ob Grace Lust hat mitzukommen?«

»Bestimmt.«

Er lächelte. »Aber die Katze nicht«, sagte er.

Ich lachte. »Nein, die Katze nehme ich nicht mit.«

Als er gegangen war und gemächlich die Straße hinunterspazierte, hüpfte ich singend durchs Wohnzimmer.

Say I love you, say I need you, say all the things that people say when love is new. Oh baby, I love you, don't be ashamed to say.

Ich machte einen Hüpfer zu Grace hin und pflanzte ihr einen dicken Kuss auf die Stirn.

»Wir haben eine Verabredung, Grace!«

Ich setzte mich an den Esstisch, wo er gesessen hatte. Ich dachte an sein Lächeln und an seine muskulösen Waden.

Wie würde das morgen werden? Straßenmusik mit Hiro.

Später am Abend, als ich mich beruhigt hatte, telefonierte ich mit meiner Mutter.

»Was ist eigentlich aus Anna geworden?«, fragte ich sie.

»Aus wem?«

»Anna. Weißt du nicht mehr? Sie haben früher neben uns gewohnt.«

»Oh«, sagte meine Mutter. »Ihre Eltern waren Lehrer. Sie sind, glaube ich, irgendwo in den Süden versetzt worden.«

»Kannst du dich erinnern, wohin?«, fragte ich.

211

»Hm, war es Kiama? Irgendwo da in der Gegend. Warum das plötzliche Interesse?«

»Ich habe nur so gedacht, weißt du. Anna und ich waren gute Freundinnen, und ich habe überlegt, was aus ihr geworden ist, das ist alles. Ich habe nicht so viele gute Freundinnen, und ich dachte mir, ich könnte mal bei ihr vorbeischauen und sehen, wie's ihr so geht.«

»Schön für dich«, sagte meine Mutter.

Ich machte mir ein Halbliterglas Kaffee, setzte mich in Graces Arbeitszimmer und stellte die Spukschachtel vor mich hin.

Grace war schwanger, als sie den Unfall hatte. Mr Preston wusste, dass sie schwanger war, sonst hätte er nicht gesagt »sie beide«, als er davon sprach, dass der Unfall seine Schuld war. Es sei seine Schuld gewesen, hat Mr Preston gesagt.

Ich hörte Hiros zwanglose Frage in meinem Kopf klingen: »Oh ... was ist passiert?«

Ich habe nie gefragt!

Warum habe ich nie gefragt? Ich habe nicht gefragt, weil ich es für unhöflich hielt, so, wie wenn man jemanden anstarrt oder wenn man jemandem sagt, er habe zugenommen – das macht man eben nicht.

Ich weiß noch, wie ich als Drei- oder Vierjährige einmal in der Warteschlange in einem Geschäft stand. Vor uns war eine Frau. Ich betrachtete sie eine Weile und drückte mich stumm ans Bein meiner Mutter, dann sah ich zu ihr auf und sagte laut: »Schau mal, Mummy, die Frau hat aber einen großen Busen!« Meine Mutter wurde scharlachrot. Die Frau mit dem großen Busen wurde scharlachrot.

»Scht!«, sagte meine Mutter. Ich fing an zu protestieren: »Aber sie hat einen, Mummy, sieh doch hin!« Ich zeigte mit meinem pummeligen Finger auf die Frau.

»Still jetzt, Liebling, über so etwas spricht man nicht«, sagte meine Mutter.

»Warum nicht?«

»Das macht man eben nicht.«

Ich nahm den Deckel von der Spukschachtel und legte das zusammengebundene Päckchen zur Seite.

Dann griff ich nach dem nächsten Papier und las.

Niemand kann einen Kuchen unangetastet lassen und gleichzeitig davon essen.

Wir lassen unseren Kuchen nicht unangetastet, mein Schatz. Wir sitzen hier bei Kerzenlicht, verstecken uns in der Dunkelheit, tauchen die Arme bis an die Ellbogen in süßen Schokoladensirup, schmieren Marmelade und Sahne in unsere Gesichter.

Eines Tages, eines schönen Tages, mein köstlicher Freund, wird man die Krümel auf deinem Kinn bemerken. Man wird eine Anspielung auf die Himbeersauce auf deinem Hemdsärmel machen.

Ändern können wir die Situation, indem wir uns entscheiden, und zwar dafür entscheiden, jetzt aufzuhören. Oder wenn nicht aufhören, dann unseren Appetit auf ein gelegentliches Sahneröllchen beschränken. Oder wenn nicht aufhören, dann …

Erschreckt dich das Wort Heirat?

Das ist nicht unbedingt eine weise Entscheidung, aber eine nötige. Denn die, die von trockenem Brot und lauwarmem Wasser leben, werden lautstark protestieren, wenn sie herausfinden, was wir hier im Dunkeln speisen.

Geh jetzt, mein bezaubernder Schatz, leck dir die Finger und wisch dir den Mund am Handrücken ab. Und komm nicht zurück, wenn du nicht vorhast, mir den glänzenden Goldring zu bringen, der unser Festmahl für unsere Freunde und Kollegen so viel weniger abstoßend machen würde.

27

Heute habe ich meine Verabredung mit Hiro.

Ich dachte, ich bereite für heute Abend ein Picknick vor.

Auf dem Küchenschrank steht ein Picknickkorb. Vier Teller, Besteck und Plastikgläser sind mit kleinen Ledergurten am Deckel festgeschnallt. Der Korb ist mit einem blau und grün gemusterten Stoff ausgeschlagen, der sich zu einer kleinen Tischdecke umwandeln lässt.

Ich kleide Grace an und wir gehen ins Feinkostgeschäft. »Hallo, Kleines«, sagt die Italienerin, »was kann ich heute für dich tun?«

Ich kaufe tasmanischen Käse, einen großen knusprigen Laib Brot und kalten Braten. Ich kaufe Oliven und Tomaten.

Ich gehe in den Getränkeladen und kaufe eine Flasche Weißwein und eine große Flasche Wasser.

Grace und ich spazieren mit unseren Einkäufen nach Hause. Auf der Straße singe ich laut.

»I thought that we would just be friends, things will never be the same again.«

Anscheinend kriege ich dieses Lied nicht mehr aus dem Kopf.

Zu Hause packe ich meinen kleinen Picknickkorb und krame eine Decke aus dem Wäscheschrank.

Ich sehe schnell Graces Kleiderschrank durch und suche etwas zum Anziehen für mich. Ich entscheide mich für ein langes grünes Kleid und eine kleine weiße Strickjacke. Mein Haar binde ich zu einem Pferdeschwanz.

Als ich schon aus der Tür gehen will, fällt mir plötzlich noch etwas ein. Ich laufe zurück und schnappe mir das Fläschchen Insektenschutzmittel, das unter der Spüle steht.

Grace und ich spazieren mit unserem Picknickkorb und der Decke langsam in Richtung Park. Am Ende unserer Straße, als wir um die Ecke biegen, sehe ich andere Leute mit Körben und Decken.

Vielleicht findet heute Abend noch etwas anderes statt? Na schön, wenigstens haben wir den Picknickkorb.

Als wir in die Nähe des Parks kommen, sehe ich schon Menschen durch die Tore strömen. Die Rasenfläche ist zur Hälfte mit Decken belegt. Korken knallen links, rechts und in der Mitte. Um das Rundbeet sind bunte Lichterketten gespannt. Hier ist eine provisorische Bar eingerichtet. Das Teehaus ist gerammelt voll.

Ich halte Ausschau nach Hiro. In diesem Gewühl finde ich ihn bestimmt nie.

Zwischen Teehaus und Rundbeet ist auf einem Gerüst eine Bühne aufgebaut. Auf jeder Seite stehen Lautsprecher. Männer in Abendanzügen schlendern über die Bühne und Helfer hängen Mikrofone auf.

»Rachel«, höre ich hinter mir eine Stimme. Mr Prestons Bruder Anthony liegt auf einer Decke zu meiner Linken.

»Oh, hallo.«

»Hübsch sehen Sie aus heute Abend«, sagt er und lächelt dieses strahlende, bezaubernde Lächeln.

Leute, die so makellos gut aussehen, habe ich schon immer gefürchtet. Sie haben etwas so Selbstgefälliges an sich. Ich komme mir dumm und unbeholfen neben ihnen vor.

»Setzten Sie sich doch eine Weile zu mir«, sagt Anthony.

»Oh«, sage ich.

Überleg dir eine Ausrede, schnell, bevor du stolperst oder was Dummes machst.

»Ich seh schon, mein Bruder hat Ihnen erzählt, was für ein Schurke ich bin«, sagt er grinsend. »Ich beiße nicht, es sei denn, Sie möchten es.«

»Oh, äh, nein. Er hat überhaupt nichts gesagt. Es ist nur, ich bin hier mit jemand anderem verabredet.«

»Na, schön«, sagt er mit einem Blick über die Menge.

»Rachel«, dröhnt es aus dem Lautsprecher, dann kommt ein Kreischen aus dem Mikrofon.

Verblüfft schaue ich um mich.

»Nun, so ein schlimmer Kerl bin ich jedenfalls nicht«, sagt er wieder mit diesem Grinsen. »Vielleicht gehen wir mal miteinander aus? Dann können Sie es selber feststellen.«

»Oh«, sage ich überrascht. Ist das eine Einladung? »Vielleicht.«

»Rachel«, tönt es wieder aus dem Lautsprecher. Ich

sehe hin. Da steht Hiro mitten auf der Bühne, grinsend und mit beiden Armen winkend. Er trägt einen Anzug. Sein Haar ist zu einem Pferdeschwanz zusammengebunden. Helfer wimmeln um ihn herum, schließen Kabel an und kleben irgendetwas mit Isolierband ab. Als Hiro gesagt hatte, er spiele Cello, hatte ich keine Ahnung, dass er meinte: richtig *gut*.

Ich winke eifrig zurück.

»Ich muss gehen«, sage ich zu Anthony.

Er nickt und lächelt. »Ein andermal dann?«

Ich antworte nicht. Ich lächle nur zurück, ziehe Grace am Arm hinter mir her und bahne uns einen Weg zwischen den Decken zur Bühne.

»Hallo!«, sagt Hiro. Er hat die Hände auf die Hüften gelegt und schaut von der Bühne auf mich herunter. »Ich habe einen Platz freigehalten«, sagt er und zeigt auf eine Stelle ungefähr zehn Meter von der Bühne entfernt, wo ein Berg von Instrumentenhüllen liegt. »Wenn wir nicht spielen, kann ich mich zu euch setzen.«

Wir rücken die Instrumentenhüllen zur Seite und breiten die Decke aus. Hiro setzt sich und ich helfe Grace auf die Decke.

»Bist du nervös?«, frage ich.

Hiro zuckt die Schultern. »Es ist nicht neu für mich. Ich spiele gern vor Leuten. Ich spiele schon, seit ich …« – er hält die Hand etwa einen Meter in Bodenhöhe – »… seit ich so war.« Dann lacht er. »Vielleicht doch nicht. Vielleicht war ich auch größer.« Er bewegt die Hand etwas höher und lacht wieder. Er legt sich zurück und stützt sich mit dem Ellbogen ab.

»Du bist sehr ...« Er überlegt stirnrunzelnd. »Nein, wie sagt man? Wunderschön!« Er hebt eine Augenbraue.

Oh, mein Gott! Mein Gott! Cool bleiben, Rachel. Ganz cool.

Ich werde rot. Ich drehe mich um und klappe den Picknickkorb auf. »Danke. Möchtest du etwas essen?« Ich nehme das Brot heraus und drücke ihm den Laib in die Hand. »Äh, nein, danke. Ich esse hinterher.«

Hastig nehme ich ihm das Brot wieder ab und werfe es in den Korb zurück.

Das war nicht cool. Tu etwas Cooles, schnell.

Ich ziehe das Band aus meinem Pferdeschwanz und schüttle mein Haar, wie sie es immer in den Shampoo-Werbespots tun.

Das war ziemlich cool.

Ich streiche mit den Fingern durch mein Haar. Die Schnalle meiner Armbanduhr verfängt sich in den Haaren.

Ahh! Ahh!

Er beugt sich herüber und fängt an, in meinem Haar zu zupfen. Ich kann ihn riechen. Er riecht angenehm. Direkt vor mir sehe ich seinen Adamsapfel unter der karamellfarbenen Haut.

»So«, sagt er lächelnd. Sein Gesicht ist dicht vor meinem.

Du könntest ihn küssen. Tu's doch! Tu's doch!

»Harold, wir können«, ruft ein Mann im Anzug von der Bühne her. Er hat eine Violine in der Hand.

Hiro steht auf und streicht sich die Hosen glatt.

»Hals- und Beinbruch«, sage ich.

»Das hast du schon mal versucht«, sagt er mit einem Lachen. Er verbeugt sich leicht und geht.

Ich sah zu, wie Hiro und die anderen drei Männer ihre Plätze auf der Bühne einnahmen. Einen Augenblick verharrten sie reglos. Im Park ringsherum wurde es mucksmäuschenstill. Ich spürte einen kleinen, köstlichen Schauer der Erwartung. Dann fingen sie an.

Es war großartig. Sie spielten ohne Noten, sie sahen einander an und spielten einfach. Hiro hatte vor Konzentration Falten auf der Stirn. Eine Haarsträhne löste sich aus seinem Pferdeschwanz.

Ich sah Grace an. Sie lag auf der Decke und hatte die Augen geschlossen.

Die Musiker spielten ungefähr zwanzig Minuten, dann standen sie auf und verbeugten sich. Der Mann mit der Violine nahm das Mikrofon. »Wir machen nur eine kurze Pause. Gehen Sie nicht weg! Wir sind gleich wieder da.«

Ich sah Hiro auf der Seite der Bühne. Er trank aus einer Wasserflasche, während der Mann mit dem Kontrabass etwas zu ihm sagte. Hiro übergab einem der Helfer sein Cello, goss sich etwas Wasser in die Hand und strich damit über die lockere Haarsträhne.

Ich griff in den Picknickkorb und nahm die Weinflasche heraus. Ich drehte den Korken heraus, goss zwei Gläser ein und gab eines Grace. Ich belegte zwei Sandwiches mit Käse, geräuchertem Rindfleisch und Tomaten und gab Grace eines in die andere Hand. Dann machte ich mich über mein Sandwich her.

Als ich aufsah, winkte Hiro von der Seite der Bühne herüber. Ich winkte zurück, bekam ein Stückchen Brot in die Luftröhre und musste hemmungslos husten. Ich hustete den ärgerlichen Krümel heraus und sah schnell wieder auf, aber Hiro hatte sich inzwischen nach der anderen Seite gewandt und unterhielt sich mit dem Geiger.

Dann setzten sie sich und fingen wieder zu spielen an.

Ich füllte unsere Gläser noch einmal. Mit einer gewissen Selbstgefälligkeit rieb ich Grace die Arme mit Insektenschutzmittel ein.

Na, wer ist hier ein cleverer Streber?

Als das Konzert zu Ende war, sprang Hiro von der Bühne. Er kam zu uns und setzte sich auf die Decke, das Cello im Kasten zu seinen Füßen. »Jetzt esse ich dein Brot«, sagte er lächelnd.

»Es war wunderbar.«

Er zog die Schultern hoch. »Wir haben heute gut gespielt.«

Er griff in den Picknickkorb und nahm sich ein Glas. Ich machte ihm ein Sandwich und ließ es prompt auf die Decke fallen.

Was ist nur los mit dir?

Ich klaubte die Sandwich-Bestandteile von der Decke und steckte sie in eine leere Plastiktüte.

»Du bist irgendwie, wie sagt man? Dumm?« Er sah mir ins Gesicht. Mir war der Mund offen stehen geblieben. »Nein, nein, das Wort heißt ungeschickt, glaube ich?« Jetzt war er verlegen.

»Nur, wenn du in der Nähe bist«, sagte ich. »Ich bin so geschickt wie jeder andere, wenn du nicht da bist.«

»Ich mache dich, ähh ... aufgeregt? Ja?«

Ja. Ja, das tust du.

Ich holte das Insektenschutzmittel aus dem Korb und gab es ihm. »Nein, es ist nur ... ich weiß nicht.«

Er schaute das Fläschchen an und drehte es unschlüssig in den Händen. »Für das Essen?«, fragte er.

»Nein«, lachte ich. »Man reibt sich die Arme damit ein. So.« Ich machte es ihm vor. Während er sich einrieb, machte ich ihm ein neues Sandwich, kramte die Weinflasche heraus und goss ihm ein Glas ein.

Wir saßen auf der Decke, unterhielten uns über Musik und sahen zu, wie die Helfer die Sachen abbauten und Kabel über ihre Unterarme rollten.

Wir redeten übers Fernsehen. »Manche Sendungen gibt es bei uns zu Hause auch. Sie werden übersetzt.«

»Wie Monkey-Magic, huh Trippitaka«, sagte ich. »Du kennst doch Trippitaka?« Ich fing an zu singen: »Born from an egg on a mountain top.«

»Nein, kenne ich nicht, aber du kannst ruhig weitersingen«, sagte er und lehnte sich zurück.

Ich stellte mir vor, wie er ohne Hemd aussieht.

Mmmm, ich wette, auch sein Bauch ist muskulös.

Nachdem die Helfer die Ausrüstung zusammengepackt hatten, setzte er sich auf und sah auf die Uhr. »Sollten wir jetzt nach Hause gehen?«

Wir räumten die Sachen in den Picknickkorb. Hiro trug die Decke und sein Cello und wir gingen zum Ausgang.

Am Tor sagte er: »Also, danke, dass du zugeschaut hast.« Er deutete rückwärts zur Bühne.

»Hab ich gern gemacht.«

»Ich komme vielleicht mal wieder zu dir? Bald?« Er gab mir die Decke, verbeugte sich noch einmal und ging.

Eine Weile sah ich ihm nach. Er ging langsam, eine Hand in der Hosentasche. Der Anzug, den er trug, betonte seine breiten Schultern. Er drehte sich um, ging rückwärts und winkte mir zu. Ich seufzte.

»Er hält mich bestimmt für eine Idiotin, Grace.«

Ich nahm Grace am Arm und wir gingen nach Hause.

28

Heute ist wieder dieser Tag. Der Tag, an dem du dich hinsetzt und versuchst, deine drohende Katerstimmung in den Griff zu kriegen, und an dem du halbherzige, aber gut gemeinte Erklärungen abgibst, wie aufregend dein Leben im kommenden Jahr werden wird.

Erstens ist es Zeit, dass du Ordnung in deine Karriere bringst. Es ist Zeit, in den sauren Apfel zu beißen, die Messieurs Preston zu verlassen und in eine Firma zu wechseln, in der du eines Tages vielleicht sogar Aufstiegschancen hast. Schluss mit der Rackerei. (Letztes Jahr hieß es: »Schluss damit, andern Leuten ihr Selbstbewusstsein kaputtzumachen« – und sieh dir an, wie lange der Vorsatz gehalten hat!)

Du bist nicht knapp bei Kasse. Wobei mir einfällt, dieses Jahr wollen wir aufhören, wütend über die Bau-Ungeheuerlichkeit zu sein, die auf den Trümmern des Elternhauses entstanden ist.

Viel gibt es nicht, was dich hier hält, es ist Zeit für »die große Reise«.

Lösung eins: New York. Du gehst dieses Jahr nach New York.

Zweitens wird es Zeit, den schwerwiegenden Punkt H anzusprechen.

Zärtliche, vom Chardonnay inspirierte Überlegun-

gen beiseite, es dürfte Zeit sein, ein bisschen Druck auszuüben.

Fußnote: Ist er »der eine«?

Punkt H ungelöst bis zum nächsten Neujahrstag.

New York also. Zeit, dass du deinen alten Schwung wiederfindest.

Grace ist mit Jan weggegangen. Ich sitze wieder in ihrem Arbeitszimmer. Ich habe die Spukschachtel auf dem Schoß. Dieses hier war das letzte Papier.

Es ergibt keinen Sinn.

Empört werfe ich den letzten Zettel auf den Schreibtisch. Keine Ahnung, was ich dachte, dass sie mir sagen würde, aber dass es etwas Neues sein würde, hatte ich schon gehofft.

Ich löse das Bändchen und blättere die Papiere noch einmal durch.

Gib mir einen Tipp, Grace. Was hat das zu bedeuten?

Ich weiß nicht, was ich mir erhofft hatte. Ich weiß aber, dass ich gedacht hatte, in all dem würde eine verborgene Wahrheit stecken. Ich hatte gedacht, das hier sei die Schachtel des Wissens. Ich hatte gedacht, wenn ich auf dem Grund angekommen bin, würde ich verstehen, was Grace wichtig war. Was im Leben wichtig war.

Das Einzige, was ich herausgefunden habe: Grace war eine reale Person, bevor ich sie kannte, bevor sie den Unfall hatte.

Grace hatte ein Leben.

Vor dem Unfall.

Grace hatte einen Geliebten.

Vor dem Unfall.

Grace hatte Gedanken und Kummer und Wut. Sie kannte die Liebe und sie hatte Pläne für die Zukunft.

Grace hatte ein Kind.

Auf einmal tut sie mir furchtbar Leid. Sie tut mir so Leid.

Sie hatte Menschen, von denen sie geliebt wurde. Sie hatte eine Karriere. Sie hatte ein Baby.

Traurigkeit überwältigt mich plötzlich. Hier ist keine innere Wahrheit verborgen. Hier ist nur ein Mensch – ein Leben.

Grace war kein Supermodel, sie war kein Genie, sie war ein ganz normaler Mensch mit einem alltäglichen Leben.

Ich sitze am Schreibtisch und weine um Grace. Wie kann das passieren? Was ist das für ein Leben?

Was ist das für eine Welt?

Was bin ich für ein Mensch? Was kann das für ein Mensch sein, der hier mit Grace zusammenlebt und der nie darüber nachdenkt, was verloren gegangen ist? Wie selbstsüchtig bin ich? Ich besaß sogar die Frechheit, mich vor ihr zu fürchten. Ich schäme mich.

Ich bin achtzehn, und ich weiß manches. Etwas, das ich zu wissen glaubte, war, dass die Zeit schließlich alle Wunden heilt. Graces Wunden hat sie nicht geheilt.

Ich bin am Ende.

29

So niedergeschlagen war ich noch nie. Ich fühle mich wie in einer großen schwarzen aufgeblähten Regenwolke. Die Traurigkeit kriecht mir bis in die Knochen.

Ich will nach Hause. Ich vermisse meine Mum. Ich vermisse es, auf der Veranda zu sitzen, zu reden, zu lachen und mir um nichts Gedanken zu machen. Ich vermisse den Blaubeertag.

Es ist, als ob mich die Wahrheit, diese unumstößliche Wahrheit, dass das Leben eine verdammt harte Nuss ist, von vorn in den Bauch getroffen hat, und als ob sich alles um mich herum dreht.

Ich fange wieder an zu heulen. Ich will meine Mum hier haben. Ich bin müde. Ich bin deprimiert! Ich will nach Hause. Ich will wieder ein Kind sein.

Ich rufe meine Mum an.

»Mum?«

»Was gibt's, Rachel, Schatz?«

»Mummy, ich brauche dich«, flüstere ich schwach. Ich spüre die Tränen in den Augen brennen. Ich spüre den Kloß in meiner Kehle.

»Ich bin so traurig«, sage ich ins Telefon. Ich spüre, wie sich meine Brust spannt. Ich kann nicht atmen.

»Mum?«

Ich lausche angestrengt. Die Verbindung ist tot. Ich drücke auf Wiederwahl, aber am anderen Ende der Leitung klingelt es durch bis nach dem letzten Ton.

Ich lege auf und tappe ziellos und leise vor mich hin jammernd im Haus herum. Im Spiegel schaue ich mein rotes, fleckiges Gesicht an, dann rolle ich mich auf dem Sofa zusammen.

Achtundzwanzig Minuten.

Achtundzwanzig Minuten braucht meine Mutter, um dorthin zu fahren, wo ich jetzt wohne. Ich sitze in Schlafanzug und Wollsocken auf dem Sofa und gebe mich meinem Selbstmitleid hin.

Ich höre Jeff Buckley. Er macht mich so traurig. Leidenschaftlich winselt er mir etwas vor. Ich heule, weil ich daran denken muss, dass Grace nicht dazu gekommen ist, sich endgültig von *ihm* zu verabschieden – wer immer es war.

This is our last embrace, must I dream and always see your face?

Träumt sie von ihrem Geliebten? Die Haustür ist offen. Die Stare kreischen Prickles, der auf der Eingangstreppe liegt, die Ohren voll. Ich ziehe die Knie bis an die Brust, schlinge meine Arme darum und weine und singe mit Jeff.

Kiss me, please kiss me, kiss me out of desire, baby, not consolation.

Ich höre vor dem Haus ein Auto, das mit quietschenden Bremsen hält. Ich achte nicht darauf. Ich singe durch meine Tränen hindurch. Ich schwelge in Selbstmitleid.

Oh you know it makes me so angry, 'cause I know that inside, I'll only make you cry.

Jeff wimmert und heult wunderbar, inbrünstig. Ich schluchze.

Ich muss es noch einmal hören.

Ich stehe auf und schlurfe mit meinen traurigen, hängenden Schultern zum CD-Player. Ich strecke meine traurige Hand aus und ...

Meine Mutter kam so blitzschnell durch den Flur gefegt, dass ich sie kaum sah. Sie war wie ein verschwommener Fleck. Es gab einen Knall und sie hatte Schallgeschwindigkeit erreicht. Wäre der Flur etwas länger gewesen, hätte sie es bis auf Lichtgeschwindigkeit geschafft.

»Da bin ich, mein Herz, da bin ich. Alles ist gut.«

Sie rannte mich fast um.

Ich schlang die Arme um meine Mutter und weinte und weinte und weinte.

30

Das Erste, wofür meine Mutter sorgte, als mein Geheule ein wenig nachließ, war, dass sie einen schönen Tee aufsetze und mich rundherum in Decken packte.

»Na, na, was ist denn los?«

»Grace hatte einen Unfall«, sagte ich.

»Ja?«, sagte meine Mutter.

»Aber davor«, sagte ich und gestikulierte wild mit den Armen, »davor hat sie Bier getrunken! Verstehst du? Auf der Veranda Bier getrunken mit den alten Männern, die ein Stück die Straße rauf wohnen, und sie haben ihr bei der Gartenarbeit geholfen.«

»Ja?«

»Sie hatte ein Leben.« Ich blinzelte. »Es war nicht sehr glücklich, aber egal, sie hatte eins!«

»Ich verstehe«, sagte meine Mutter.

Ich trank meinen Tee. Plötzlich legte sich meine Mutter die Hand auf den Mund. Ihre Schultern krümmten sich. Ich dachte, sie würde sich jeden Moment übergeben.

»Mum? Was ist mit dir?«

Sie brach in Lachen aus.

»Was?«

»Es tut mir Leid, Schätzchen«, sagte sie und tätschelte mein Bein. »Was hältst du davon, wenn ich dir eine schöne heiße Suppe mache? Oder, weißt du was, wir könnten Tomatenabend feiern! Was meinst du? Wir machen Gazpacho, dazu gibt's Bloody Mary und Bruschetta, und dann kannst du mir erzählen, was das alles zu bedeuten hat.«

Ich runzelte die Stirn. »Warum Tomatenabend?«

»Na ja, dann brauchst du keine Verkleidung, so, wie dein Kopf aussieht«, sagte Mutter und prustete wieder los.

»Oh«, sagte ich. »Lachst du mich aus?«

»Natürlich, Liebling«, sagte meine Mutter.

Ich trank stumm meinen Tee, während meine Mutter sich in der Küche zu schaffen machte und kleine Leckereien mit Tomaten zubereitete.

»So, jetzt erzähl von Anfang an«, sagte sie und setzte sich neben mich auf das Sofa. Sie nahm Prickles hoch, setzte ihn auf ihren Schoß und streichelte behutsam über sein Fell. Er streckte vor Wonne seine kleine rosa Zunge heraus.

Also erzählte ich ihr, wie ich mich in der ersten Zeit nicht viel um Grace gekümmert hatte und wie ich es später nur mit Angst oder Ekel getan hatte. Ich erzählte ihr von Graces Schwestern, und dass ich sie nicht besonders leiden konnte, dass ich aber glaubte, sie hätten Probleme. Ich erzählte von Mr Preston und dass er Grace geliebt hatte und noch immer liebte, und wie traurig das für ihn sei. Ich erzählte von Herb und Bill und von Graces Eltern. Aber von der Spukschachtel sagte ich nichts. Ich glaube, ich schämte mich.

Meine Mutter trank Bloody Mary, hörte zu und streichelte die Katze. Zum Schluss nickte sie.

»Also?«, fragte ich.

»Also was?«, fragte meine Mutter zurück.

»Na, die Antwort!«

»Die Antwort worauf?«

»Was bedeutet das Leben?«

»Zweiundvierzig Jahre«, antwortete sie lächelnd. Sie setzte Prickles auf den Boden.

»Sehr witzig«, sagte ich. »Aber wie ist die richtige Antwort?«

»Ich weiß es nicht«, sagte sie mit ihrem nachsichtigen Lächeln.

»Was denkst du?«, fragte ich. »Du bist doch alt. Ich meine, älter.«

»Frag Oma, sie wird es dir sagen«, meinte sie lachend. »Aber im Ernst, es geht ja überhaupt um das Herausfinden. Gerade das macht doch solche Freude.«

31

Am Morgen des nächsten Tages kam Mr Preston, um Grace zu besuchen. Meine Mutter war einkaufen gegangen. Sie war wie ein gelb leuchtender Fleck aus der Tür gewirbelt. Sie hatte beschlossen, ein paar Tage bei mir zu bleiben.

»Zweifellos wird Brody eine wilde Party feiern, während ich weg bin«, sagte sie, bevor sie zum Supermarkt fuhr. »Ich werde wohl über sämtliche Spuren von Beweisen hinwegsehen müssen, wenn ich zurückkomme – wobei albernes Grinsen und außergewöhnliche Hilfsbereitschaft nicht einmal die kleinsten Beweise sein dürften.«

Ich lief durchs Haus und räumte auf. Ich ging in den Garten und pflückte Blumen.

Mr Preston saß eine Weile bei Grace, später schlief sie ein, und er kam zu mir auf die Veranda. Wir schwiegen. Ich biss auf meiner Lippe herum.

»Wie ist das mit Grace passiert?«

»Sie hat sich den Kopf verletzt.«

»Ja. Aber wie?«

»Auf der Straße.«

Ich blinzelte über die Straße. Die Sonne schien sehr hell. Ein Rudel Katzen kam in den Garten getollt. Unter ihnen Prickles. Sie wälzten sich über den Rasen, bissen einander und traten mit den Hinterläufen um sich. Danach lagen sie sanftmütig aneinander gekuschelt in der Sonne. Mr Preston runzelte nachdenklich die Stirn.

»Warum wollen Sie es mir nicht sagen?«

»Haben Sie einen Bruder, Kumpel?«, fragte er.

»Ja, Brody. Das bedeutet ungewöhnlicher Bart, wissen Sie. Er ist ein bisschen durchgeknallt, trotzdem kommen wir ganz gut klar.«

Mr Preston legte die Stirn in Falten. »Ungewöhnlicher Bart.«

»Ja«, sagte ich und wurde rot. »Meine Mutter hat immer skurrile Einfälle.«

Mr Preston seufzte. Dann fing er an.

»Ich habe, wie Sie wissen, einen Bruder. Er hat in unserem Büro gearbeitet wie vorher mein Vater und vorher der Vater unseres Vaters.« Mr Preston trank Tee, Earl Grey, heiß. Ich kann diese Sorte nicht ausstehen, aber ich ertrage ihn, weil Jean-Luc Picard, wenn er aufgeregt ist, Earl Grey trinkt.

»Anthony war immer auf Größeres aus. Er musste ständig seinen Machtbereich erweitern, anderer Leute Selbstwertgefühl zertrampeln.« Mr Preston schlürfte seinen Tee. Er hatte einen Fuß aufs Knie gelegt.

»Ich fing gerade an, eine Beziehung zu Grace aufzubauen. Ich glaube, sie hatte endlich beschlossen, mich nicht länger zu bekriegen, und wir wurden Freunde – gute Freunde –, doch das war alles. Ich war ja verheiratet.

Ich hatte mit Grace zu tun, wir arbeiteten eng zusammen, aber unsere Beziehung war eine rein berufliche

Freundschaft, das war alles, soweit es Grace betraf. Und das war auch alles, was ich anbieten konnte. So trug ich mit stoischer Ruhe Tag für Tag meinen Kummer über diese Situation mit mir herum.«

Mr Preston schwieg. Er saß vollkommen reglos. Ich blinzelte in die Sonne. Ein leichter Wind spielte in meinen Haaren und blies sie mir ins Gesicht.

»So war ich immer, verstehen Sie? Mr ›Jedermanns Freund‹ – ich habe versucht, es allen recht zu machen. Und ich habe auch selbst meinen Teil abbekommen. Ich tat Gefälligkeiten, die ich nicht hätte tun sollen, und ich nahm meinerseits welche an. Ich schmierte die Räder, wenn sich die Gelegenheit ergab.«

Mr Preston drehte und wendete die Tasse in seiner Hand.

»Jetzt bin ich Mr ›Schirmherr‹. Ich arbeite ehrenamtlich für eine Unzahl von Initiativen in der Gemeinde – Umweltgruppen, Fortschrittsvereine –, ich bin immer auf Trab. Jetzt kümmere ich mich mit stoischer Gelassenheit um die Belange anderer Leute, und manchmal kann ich sogar etwas bewirken, das ist ganz angenehm. Es gibt mir hin und wieder ein etwas besseres Gefühl, wenn ich an meine jahrzehntelange Selbstsucht denke.«

Mr Preston schwieg für einen Moment und holte tief Luft.

Das Auto meiner Mutter kam die Straße entlanggerast, bremste mit einem Ruck vor dem Haus und blieb hinter Mr Prestons Wagen stehen.

Mr Preston sah sie aussteigen und runzelte die Stirn.

»Hallo, Rachel-Liebling«, rief sie, riss die Heckklappe auf und machte sich daran, ihre Einkaufstüten aus dem Auto zu holen.

Mr Preston ging schnell die Treppe hinunter und durch die Gartentür und nahm ihr die Tüten ab.

»Oh, vielen Dank«, sagte meine Mutter strahlend.

»Keine Ursache«, sagte Mr Preston und strahlte ebenfalls.

»Mr Preston, das ist meine Mutter«, sagte ich.

»Miriam«, sagte meine Mutter.

»Ich bin Alistair Preston. Schön, Sie kennen zu lernen.«

»Alistair«, sagte meine Mutter.

»Miriam«, sagte Mr Preston, und dann lachten sie beide.

Mr Preston trug meiner Mutter die Einkäufe in die Küche und half ihr beim Auspacken.

»Mein kleiner Kumpel sagt, Sie wären immer gut für skurrile Einfälle«, bemerkte Mr Preston.

»So, sagt sie das?«, fragte sie und zwinkerte mir zu.

Ich saß auf dem Sofa und duckte mich.

Mr Preston ging aus der Küche. Ich folgte ihm hinaus auf die vordere Veranda.

»Sie wollten mir gerade etwas erzählen«, half ich nach.

»Worüber?«

»Über Ihren Bruder.«

»Oh«, sagte er. Er lehnte sich mit der Hüfte gegen das Geländer und verschränkte die Arme.

»Als wir Jungen waren«, fing er an, »habe ich zum

Geburtstag eine Spanielhündin bekommen. Anthony, mein Bruder – er sah, wie sehr ich den Hund liebte, und nahm sich vor, ihn mir zu stehlen. Eines Tages lief der Hund auf der Straße. Ich war auf der einen Seite, Anthony auf der andern. Ein Auto kam, und ich rief den Hund. Ich wollte ihn einfach in Sicherheit bringen. Anthony rief ihn auch. Von der anderen Straßenseite.«

Mr Preston strich sich das Haar aus der Stirn. Er schlug die Füße übereinander und sah hinaus auf die Straße.

»Es war ein Kampf, der da ausgetragen wurde. Ich sah Anthony an, er sah mich an, und das Auto kam immer näher. Anthony rief den Hund noch einmal und er lief zu ihm.«

Mr Preston machte eine lange Pause.

»Er hatte gewonnen. Danach kümmerte er sich nicht mehr um den Hund. Es war ihm nur ums Gewinnen gegangen. Darum, dass er mich besiegte. Wir gaben den Hund weg. Ich konnte ihn nicht mehr sehen, ohne die Enttäuschung zu spüren.« Mr Preston lachte bitter auf. »Ein Hund – ein verdammter Hund. Ausgerechnet an einen Hund musste ich all diese Gefühle hängen.«

Er schüttelte den Kopf. »Lächerlich.«

Er ging mit leichtem Schritt die Treppe hinunter und aus der Gartentür.

»Bis demnächst«, sagte ich.

Er nickte, dann öffnete er die Wagentür, stieg ein und fuhr davon.

»Du hast mir gar nicht erzählt, dass er gut aussieht!«, sagte meine Mutter, als er weg war. Sie zupfte an ihrer gelben Bluse. »Himmel!«, sagte sie, »ich glaube, er hat mich sogar ein bisschen durcheinander gebracht!«

»Mum! Bitte!«

»Es stimmt aber«, protestierte sie.

Meine Mutter, der mein ständiges Gejammer und meine offensichtlichen Nöte in Kochangelegenheiten zum Hals heraushingen, hatte auf ihrer Einkaufstour, wohl überlegt, zwei Kochbücher für mich gekauft.

Ich saß auf dem Sofa und studierte sie, während meine Mutter ein köstliches Essen zauberte, das weit jenseits meiner gegenwärtigen Fähigkeiten lag.

Das erste Kochbuch *Raffinierte Gerichte auf die Schnelle* beschäftigte sich mit Gerichten, die sich in sehr kurzer Zeit zubereiten ließen. Wie es aussah, bestand es so gut wie ausschließlich aus Toastrezepten, zum Beispiel Käse auf Toast. Dann steigerte sich der Schwierigkeitsgrad bis zu derart einfallsreichen Gerichten wie Schinken, Tomaten und Käse auf Toast. Entrüstet warf ich *Raffinierte Gerichte auf die Schnelle* auf den Couchtisch und nahm mir das andere Buch.

In dem zweiten Kochbuch *Wirtschaftlich kochen* ging es um preiswerte Gerichte, es bot eine ganze Reihe von Rezepten, in denen als Hauptbestandteil Gehacktes verwendet wurde. Kräftig gewürztes Hackfleisch von pikanter Schmackhaftigkeit schien der Held des Buches zu sein, Hackfleisch in allen Variationen. Trotzdem blieb es für den Leser leicht zu erkennen an der stets gleich bleibenden Beschreibung von »pikanter Schmackhaftigkeit« und »kräftig gewürztem Hackfleisch«.

»Danke, Mum«, rief ich durch das Zimmer.

»Gern geschehen, Rachel-Liebling«, antwortete sie aus einer nach Safran duftenden Dampfwolke heraus.

»Ich habe gerade überlegt«, sagte sie, »dass du zur Post gehen könntest.«

»Was?«

»Sag nicht: Was?, sag: Wie bitte?«

»Wie bitte?«

»Um deine Freundin Anna zu suchen. Weißt du noch? Du hast mich gefragt, wo sie hingezogen ist. Auf der Post haben sie Telefonbücher, da könntest du ihre Nummer nachschlagen.«

Ich lag auf dem Sofa, die Arme hinter dem Kopf verschränkt, und wackelte mit den Füßen.

»Amanda heiratet.«

»Ach, wirklich?«, sagte meine Mutter und klapperte in Graces Geschirrschränken.

»Bozza. Kannst du dir das vorstellen?«, sagte ich.

»Nun, Rachel-Schatz, vielleicht macht er sie glücklich«, sagte meine Mutter.

Ich machte »Hm« und wackelte noch mehr mit den Füßen.

»Woher willst du wissen, dass er sie nicht glücklich macht?«, fragte sie, hielt einen Moment inne und sah zu mir herüber.

»Er erregt sich an der Verfärbung von Keramikfliesen, Mutter! Er ist intellektuell nicht auf gleichem Stand wie sie!«

Sie stellte den Kochtopf ab, den sie in der Hand hatte, und lehnte sich gegen den Arbeitstisch. »Es gibt da diese Tradition, ich weiß nicht, ob du schon davon gehört hast«, fing sie an. »Eine junge Frau sucht sich einen netten Typ, der in der Lage sein wird, sie und ihre Kinder zu versorgen, sollte sie sich für Kinder entscheiden. Dann zieht sie ein großartiges Kleid an und gelobt, für immer mit ihm zusammenzuleben. Heirat nennt man das. Und wenn du diesen Vorgang auch weder an dir selbst noch durch unmittelbare Beobachtung an mir kennen gelernt hast, so wird er doch von unwahrscheinlich vielen Menschen gepflegt. Ich könnte mir vorstellen, dass es für etliche ein großer Trost ist, wenn sie ein Papier mit einer Garantie auf ewige Liebe besitzen.«

Ich sah sie missbilligend an und wackelte noch heftiger mit den Füßen.

»Ich finde dich fantastisch, Liebling, ich finde dich wunderbar und klug, aber ich muss sagen, du neigst dazu, jeden nach deinen Maßstäben zu beurteilen. Es ist eine schlechte Angewohnheit, meine Liebe, denn so wirst du nie mit jemandem zufrieden sein.«

»Das ist nicht wahr«, sagte ich und verschränkte die Arme vor der Brust.

»O doch, mein Herz«, sagte meine Mutter und und deutete mit einem Knödelschöpfer in meine Richtung.

»Ich bin sehr tolerant!«

»Nur bei Leuten, die sich genau so verhalten, wie du es ihnen zugestehst.«

Weil mir kein schlauer Gegenbeweis einfiel, stampfte ich mit meinem strumpfsockigen Fuß auf dem Holzboden herum. Meine Mutter warf mir einen Seitenblick zu und summte fröhlich vor sich hin.

Nach einer halben Stunde schlechter Laune mit Füßestampfen fragte meine Mutter: »Warum lädst du nicht diesen gut aussehenden Alistair zum Essen ein?«

»Warum hast du ihn nicht selber eingeladen?«, antwortete ich. Die Intoleranz-Bemerkung steckte mir noch ein bisschen in den Knochen.

»Na ja«, sagte sie. »Thai-Gerichte können so unberechenbar sein. Ich wollte erst sicher sein, ob es ein leckeres Essen wird, bevor ich es anderen Leuten aufdrücke.«

»Warum rufst du ihn nicht jetzt an?«, sagte ich.

»Also gut, ich rufe an«, erwiderte sie.

Sie streckte die Hände weit über den Kopf, schüttelte sie und ließ die Blusenärmel bis auf die Ellbogen zurückfallen, dann nahm sie mein Adressbuch neben dem Telefon.

Ich bin achtzehn, und vor kurzem habe ich entdeckt, dass ich sehr wenig weiß (und wenn meine Mutter noch eine Weile hier bleibt, werde ich wahrscheinlich dahinter kommen, dass ich noch weniger weiß). Aber meine Mutter ist das lebende Beispiel für den Ausdruck »Wer nicht wagt, der nicht gewinnt«. Sie zaudert nie. Sie zeigt keine Furcht und keine Zurückhaltung. Einer der vielen Gründe, warum ich sie bewundere, ist ihre Unerschrockenheit.

Mr Preston hatte etwas anderes vor, wollte aber gern am nächsten Abend zu Besuch kommen.

»Macht nichts«, sagte meine Mutter und trug das Thai-Gericht auf (das sich als so lecker herausstellte, wie sie es erwartet hatte). »Dann muss ich morgen eben etwas ähnlich Sensationelles kochen.«

32

Ausgerechnet heute hatte ich meine alten, zerschramm-
ten, ungeputzten, hässlichen Stiefel herausgekramt.
Ausgerechnet heute hatte ich meine gestreifte Bom-
melmütze neu entdeckt. Ausgerechnet heute beschloss
Hiro vorbeizukommen. Ich stand in meiner Mütze und
meinen hässlichen Stiefeln in der Tür und verging
wortlos in purer Verlegenheit.

Hiro lächelte belustigt. Ich drehte mich abrupt um
und ging ins Wohnzimmer, er kam hinterher. Jetzt
konnte ich die Mütze ja wohl kaum abnehmen, oder?
Der Schaden war angerichtet. Außerdem wusste ich,
dass ich darunter angeklatschtes »Mützenhaar« hatte,
was wahrscheinlich noch schlimmer war.

Ich suchte krampfhaft nach einer geistreichen Be-
merkung, um zu beweisen, dass mein Verstand über
die Mode hinausreichte. Es klappte nicht.

Meine Mutter saß plaudernd und lachend mit Grace
auf der hinteren Veranda.

»Ich dachte, wir könnten vielleicht, na ja, ein Stück
gehen?«

»Gehen? Wohin?«

»Vielleicht zum Musikgeschäft? Ich würde dir gern
ein paar besonders schöne Stücke vorspielen.«

»Okay, ich muss nur erst meiner Mutter Bescheid sagen.«

Meiner Mutter Bescheid sagen? Wie peinlich. Das wird ja immer schlimmer.

Ich stiefelte hinaus auf die Veranda. »Mum, das ist Hiro.«

Meine Mutter ließ ihre Augen über meine Mütze und meine hässlichen Stiefel wandern und grinste.

»Komm her, Hiro, setz dich zu mir, dann kann Rachel in ihr Zimmer gehen und unauffällig diese alberne Mütze loswerden«, schnurrte sie und klopfte auf den Platz neben sich.

»Äh, mein Name ist eigentlich Harold«, sagte Hiro.

Die Augen meiner Mutter wurden eine Spur größer und dann sagte sie: »Ah, eine Rose mit anderem Namen, so ist das. Komm, erzähl mir etwas über dich.«

Ich ging in mein Zimmer – ich rannte eigentlich mehr – und versuchte, meinen Kopf wieder in Stand zu setzen. Es war zwecklos. Also steckte ich mein Haar auf und befestigte es mit einer Spange. Ich zog Jeans und einen Pulli an. Ich tupfte mir ein bisschen Puder auf die Nase und machte Mascara auf meine Wimpern. Dann schleuderte ich voller Abscheu meine unmöglichen Stiefel quer durchs Zimmer und zog Turnschuhe an.

Als ich durchs Haus zurückging, konnte ich meine Mutter reden hören.

»Cello, tatsächlich? Wie interessant. Mein Jüngster spielt nämlich Baritonhorn. Ein so schwungvolles und kräftiges Instrument, das Baritonhorn – möbelt die Blechbläser ungemein auf, findest du nicht?«

Sie drehte sich um, als ich über die Verandastufe kam.

»Ah, da sind wir ja. Keinen Fez, Liebling? Keine lustige Mütze, wie ich sehe?«, sagte sie augenzwinkernd.

Hiro lachte.

»Ja, ja! Macht euch nur alle lustig über Rachel. Sehr witzig«, sagte ich und lächelte ebenso vergnügt zurück. »Weiter so.«

»Na, dann zieht los, und viel Spaß. Grace und ich halten die Stellung«, sagte meine Mutter.

Hiro und ich gingen in Richtung Hauptstraße, manchmal berührten sich unsere Hände. Es gefiel mir.

»Musik ist sehr wichtig für mich«, sagte er beim Gehen. »Ich finde, sie hat … wie sagt man? Bestand? Wenn es nichts gibt, Musik gibt es immer, weißt du, was ich meine?«

Ich nickte. Ich hörte auch gern Musik. Genau wusste ich nicht, was er sagen wollte, aber er war dicht neben mir, und das war ein prickelndes Gefühl.

Im Musikgeschäft brachte mich Hiro zu der Anlage mit den Kopfhörern, dann ging er hierhin und dorthin und suchte CDs für mich aus.

»Hier. Das ist Albinoni. Sehr melancholisch und sehr schön. Für mich klingt es wie tausend gebrochene Herzen. Man muss es laut hören und sich auch selber das Herz brechen lassen.«

Ich schloss die Augen und lauschte.

»Gefällt es dir?«, fragte er lächelnd.

»Es ist so traurig!«, sagte ich. Ich war zu Tränen gerührt.

»Ja, nicht wahr? Streicher können sehr gut Herzen brechen.«

Er ersetzte die CD von Albinoni durch eine andere. »Das hier ist Pachelbel. Das Stück kennst du vielleicht schon. Mir gefällt es wegen seiner ... ähem ... vielfältigen Klangebenen. Solche Musik hebt die Stimmung. Sie gibt einem ein Gefühl von Kraft.«

Hiro brachte mir noch mehr Musik. Vor jedem Stück sagte er, was er beim Hören empfand und was ihm besonders daran gefiel. Nach jeder Erklärung schloss ich die Augen und lauschte.

Auf dem Rückweg gingen wir kurz ins Postamt. Ich schrieb mir alle Telefonnummern heraus, von denen möglicherweise eine Anna gehören könnte.

Hiro brachte mich bis an die Haustür. Er blieb mit den Händen in den Taschen auf der Veranda stehen.

»Vielen Dank«, sagte ich. »Es war wunderbar. Ein richtig schönes Geschenk. Ich weiß so gar nichts über klassische Musik.«

Er grinste. »Ich zeige dir gern noch mehr. Es gibt so vieles zu entdecken«, sagte er. »Vielleicht spiele ich dir auch mal was vor?«

»Das wäre toll.«

Dann beugte er sich vor und küsste mich. Er legte dabei seine Hand auf meine Taille. Seine Lippen waren warm. Gut möglich, dass mir sogar ein leises Stöhnen entwich.

33

Nach der Vorlesung in der Uni gehe ich kurz in die Cafeteria, um zu schauen, ob jemand da ist, den ich kenne. Kate hockt in ihrer Lieblingsecke.

Ich setze mich zu Kate und dem aufmüpfigen Mädchen mit der tollen Brille. Wie sich herausstellt, heißt sie Suzette (was ich immer für ein crêpeähnliches Dessert gehalten hatte. Ist es aber anscheinend nicht).

»Und? Bist du dir jetzt über deine Bestimmung im Klaren?«, fragt Suzette, als ich mich setze.

»Noch nicht«, sage ich. Achtlos lege ich meine Notizen auf den Platz neben mich.

»Was soll's denn sein?«, fragt Kate. »Ein blendend weißer Laborkittel oder ein Kaftan und literweise Kamillentee?«

»Was soll das heißen?«, fragt Suzette.

Ich erzähle ihr von Grace und dass Kate der Meinung war, soziale Arbeit passe nicht zu meinem Charakter.

»Ach ja?«, fragt sie und lehnt sich zurück. »Hört sich interessant an, der Job.«

»Hinter was für einer Art von Schicksal bist du also her?«, fragt Kate und in ihren Augen funkelt es.

»Also«, sage ich, sehe die beiden genau an und suche nach irgendwelchen Anzeichen von Spott. »Soll ich euch sagen, was ich wirklich gern tun möchte?«

»Na, sicher!«, antwortet Suzette und beugt sich vor.

»Ich glaube, ich würde gern Geheimnissen auf die Spur kommen«, sage ich lächelnd.

»Wie ein Kriminalbeamter?«, sagt Suzette.

»Du könntest Gerichtspsychologin werden – wie in all diesen Krimis!«, sagt Kate.

»Du würdest wahrscheinlich mehrere Studienabschlüsse nachweisen müssen«, sagt Suzette. »Und du würdest immer in Angst leben und nie eine erfüllte Beziehung haben können.«

»Aber sie haben unter ihren Trenchcoats anscheinend immer tolle Sachen an, oder?«

»Ja, und immer scheinen sie die einzigen Frauen zu sein, die sich in einer Männerwelt behaupten.«

»Und sie bringen schrecklich viel Zeit damit zu, über Tote nachzudenken«, ergänzt Kate. »Muss ganz schön schwer sein, optimistisch zu bleiben, wenn man Tag und Nacht über Tote nachdenken muss.«

»Das sag ich doch«, meint Suzette. »Und dazu dann die ganze Angst.«

»Mit Angst würdest du fertig werden«, sagt Kate heiter und klopft mir auf den Arm.

»Gut. Aber ständig und immer?«, fragt Suzette.

»Bestimmt. Sie kann Anspannung ertragen. Ich habe das schon bei ihr erlebt.«

»Gut, aber Anspannung ist doch etwas anderes als Angst«, sagt Suzette. »Anspannung ist eher so was wie persönliche Angst, sie ist ohne philosophischen Bezug.«

»Ja, aber dem Wesen nach sind sie Geschwister – Angst und Anspannung, findest du nicht?«, fragt Kate.

247

»Nein. Angst ist viel intellektueller als Anspannung. Ich würde eher sagen, Anspannung ist der schwachsinnige zweite Cousin der Angst.«

»Wann hast du mich denn angespannt gesehen?«, frage ich.

»Im Café ständig. Du warst immer total verkrampft, wenn weniger Champignoncremesuppe da war, als es Bestellungen darauf gab«, erwidert Kate.

»Da war ich nicht angespannt, sondern konzentriert.«

»Also«, sagt Suzette, ermutigt durch diese Information, »wenn bei dir Konzentration wie Anspannung aussieht, ist das doch schon ein Anfang!«

»Du brauchst trotzdem was Tolles zum Anziehen und einen Trenchcoat«, ergänzt Kate.

Nach einem Blick auf die Uhr finde ich es an der Zeit zu gehen.

Ich komme ins Haus und werde fast überwältigt von Edith Piaf in voller Lautstärke. Meine Mutter ist im Garten und geht mit Herb und Bill den Weg auf und ab. Grace ist neben ihr stehen geblieben, die Hände hinter dem Rücken. Sie dreht sich um, als ich näher komme, und für einen Augenblick meine ich eine Spur von Wiedererkennen über ihr Gesicht huschen zu sehen.

»Grace!«, sage ich. »Hallo, Täubchen.«

Ich gehe zu ihr und klopfe ihr auf die Schulter.

»Oh, hallo, Rachel-Liebling«, sagt meine Mutter. »Die beiden hier wissen anscheinend alles, was man über Kamelien, Gardenien und alles andere Schöne und Duftende wissen kann. Wie findest du das?«

»Grace kennt mich«, sage ich.

»Na, sicher«, sagt meine Mutter. »Du wohnst doch hier schon seit … wie lange? Na, jedenfalls schon lange. Also, William, was können Sie mir über Hortensien sagen? Ich weiß, dass sie in einer bestimmten Erdsorte rosa werden und in einer anderen blau, aber ich kann mir um nichts auf der Welt merken, welche Sorte welche ist.«

Ich lasse die vier weiter durch den Garten bummeln und gehe ins Haus, um etwas Kaltes zu trinken.

Ich beschließe, bei allen Nummern, von denen eine Anna gehören könnte, anzurufen. Die ersten zwei sind falsch, aber bei der dritten lande ich auf einem Anrufbeantworter. Die Stimme könnte die von Annas Mutter sein, aber sicher weiß ich es nicht. Ich bin ziemlich nervös, aber ich hinterlasse trotzdem eine Nachricht.

»Hallo, hier ist Rachel. Ich habe früher in der Clements Street gewohnt. Ich weiß nicht, ob du dich an mich erinnerst, ich weiß nicht mal, ob die Nummer überhaupt stimmt. Ich suche Anna, die nebenan gewohnt hat. Ich habe gerade an alte Freunde gedacht. Habe nur mal so überlegt, wie es dir wohl geht. Also, hier ist meine Nummer, falls du mich anrufen möchtest.«

Gerade lege ich auf, da höre ich ein zaghaftes Klopfen. Mr Preston steht in der Tür.

»Hallo, Kumpel«, sage ich. »Kommen Sie rein. Kann ich Ihnen etwas zu trinken machen?«

Mr Preston nickt und geht mit mir in die Küche.

»Ich habe neulich im Park Ihren Bruder getroffen«, sage ich und gieße kaltes Wasser in ein Glas. »Er hat mich eingeladen, dieser Draufgänger.«

»Er hat was?«, sagt Mr Preston. Er streckt die Hand aus und greift nach meinem Arm. »Sie haben doch abgelehnt, ja?«, sagt er und starrt mich an.

Ich schaue auf seine Hand auf meinem Arm. Er lässt mich los.

»Entschuldigung«, sagt er.

Er geht eine Weile in der Küche auf und ab.

»Ich möchte nicht, dass Sie mit ihm ausgehen«, sagt er. »Zum einen ist er viel älter als Sie. Und dann, er ist kein guter Mann.«

»Ja«, sage ich. »Er dachte sich schon, dass Sie das sagen würden.«

Mr Preston schnaubt verächtlich. »Dann hat er das Richtige gedacht.«

»Was haben Sie bloß für ein Problem?«, frage ich.

»Ich habe kein Problem!«, schreit er.

»Scheinbar doch.«

Mr Preston setzt sich auf das Sofa.

»Ich habe Ihnen gestern ein bisschen über ihn erzählt«, sagt er. Offenbar hat er sich etwas beruhigt.

Ich setze mich neben ihn und warte.

»Er ist nicht gut zu Frauen«, sagt er. »Nur, er kann sehr gut mit Frauen umgehen, und da liegt das Problem.«

Ich trinke einen Schluck Wasser.

»Verstehen Sie nicht?«, fragt er. »Er glaubt anscheinend, ich habe es auf Sie abgesehen. Das ist übrigens nicht der Fall. Aber wenn er das glaubt, wird er sich die größte Mühe geben.«

»Verstehe ich nicht.«

Mr Preston reibt sich nervös über das Kinn. »Lange bevor … Anthony sah mein Interesse an Grace und nahm sich vor, wie er das schon so oft getan hatte, mir wegzunehmen, was ich gern hatte. Er hatte nie Probleme, das Interesse von Frauen auf sich zu ziehen, aber diese Frau war eine besondere Herausforderung für ihn, weil er wusste, dass ich sie wollte. Weil er wusste, dass sie mir etwas bedeutete.«

Er legte beide Hände vor sein Gesicht und seufzte.

»Es fing mit kleinen Triumphen an. Er lud sie zum Essen ein, wenn er wusste, dass *wir* uns schon zum Essen verabredet hatten. Wenn er dann mit Grace am Arm aus dem Büro spazierte, grinste er mich an. Er machte ihr ausgefallene Geschenke. Ich hatte ihr nie etwas gekauft – nur einmal ein goldenes Armband. Schließlich schämte ich mich, dass ich mich in seinen Krieg verwickeln ließ. Ich wurde … wütend. Ich konnte sie nicht haben. Ich habe versucht, mir Grace aus dem Kopf zu schlagen. Ich habe versucht …«

Mr Preston stockte, dann sprach er weiter: »Um keinen Preis wollte ich, dass es mir mit Grace so ergehen würde wie mit der Spanielhündin, die ich nicht mehr hatte anschauen können, die ich weggestoßen und nur noch verachtet hatte. Ich konnte Grace nicht haben, aber Anthony sollte sie auch nicht haben. Er machte sich nichts aus ihr, er liebte sie nicht, er wollte nur gewinnen. Sie war für ihn nur eine neue Spanielhündin.«

Ich schwieg und wartete, dass er weitersprach.

»Verstehen Sie«, sagte er und sah mich eindringlich an. »Es ist genau wie mit Grace. Er mag Sie nicht wirklich, er will nur ...«

Ich sah auf mein Glas. Ich sprach sehr langsam und sehr unmissverständlich. »Ich habe seine Einladung nicht angenommen. Er ist gar nicht mein Typ. Ich glaube, Sie interpretieren da zu viel hinein. Sie haben diesen ganzen Ärger mit Ihrem Bruder und das beeinflusst Ihr Leben.«

Mr Preston nickte. Dann lachte er.

»Wie alt sind Sie, siebzehn? Achtzehn?«, sagte er.

»Achtzehn«, antwortete ich.

»Sie wissen zu viel für eine Achtzehnjährige«, sagte er. Dann kniff er mich in die Wange.

34

»Alistair«, sagte meine Mutter, als sie zur hinteren Tür hereinspaziert kam. Sie hatte ein Sträußchen Rosmarin in der Hand und fächelte sich damit Luft zu.

»Miriam«, antwortete Mr Preston, und dann lachten sie beide.

Normalerweise ist es immer meine Mutter, die kocht, aber heute Abend kochte sie nicht. Heute Abend blieb sie bei Grace und Mr Preston auf dem Sofa sitzen und rief lautstark ihre Befehle.

»Tu Kartoffeln in einen Topf mit heißem Wasser und stell sie bei mittlerer bis starker Hitze auf den Herd«, kommandierte sie. Dann wandte sie sich ohne Pause an Mr Preston. »Oh, doch, da gebe ich Ihnen Recht. Venedig im Frühling ist einfach hinreißend.«

»Die Karotten längs durchschneiden, Liebes«, rief sie nach ein paar Minuten und widmete sich gleich wieder Mr Preston. »Freilich wird in Indien *jeder* krank, aber ich habe eine eiserne Konstitution. Mein Jüngster, wissen Sie, ist allergisch gegen Litschis. Haben Sie Kinder?«

Dann kam wieder ich an die Reihe: »Wir brauchen noch Wein, Liebes«, sagte sie. Und: »Wie schade für Sie. Unglaublich praktisch, Kinder. Etwas anstrengend in den ersten Jahren, später aber sehr praktisch.«

Ich entkorkte eine zweite Flasche Wein und brachte sie zum Tisch.

»Das Fleisch in der Marinade schwenken, Rachel. Nein, schwenken … schwenken, schwenken. Wie beim Goldwaschen. Du weißt doch, wie man Gold wäscht?«, sagte sie über die Schulter zu mir und drehte sich auch schon wieder zu Mr Preston um. »Und wie ging es dann weiter?«

»Ich verließ meine Frau. Oder sie verließ mich. Jedenfalls trennten wir uns«, sagte Mr Preston und füllte sein Weinglas. Er lehnte sich zurück und seufzte wieder.

»O wie schade. Ihrer Beschreibung nach muss sie bezaubernd gewesen sein«, sagte meine Mutter. »Einen Spritzer Olivenöl über die Kartoffeln, meine Süße«, rief sie mir über die Schulter zu.

Ich gab, laut Anweisung, einen Spritzer Öl über die Kartoffeln.

»Und dann kam also die Sache mit Grace ins Rollen?«, fragte meine Mutter. Ich spitzte die Ohren.

»Ach, nein«, sagte er wehmütig. Er sah zu mir herüber und zwinkerte mir zu. »Erzählen Sie mir lieber etwas über die kleine Rachel«, sagte er lächelnd.

»Sie ist meine Lieblingstochter«, sagte meine Mutter, streckte den Arm aus und tippte Mr Preston aufs Bein.

»Ich bin deine *einzige* Tochter«, rief ich aus der Küche.

»Ja, und du bist meine Lieblingstochter.«

Majestätisch erhob sie sich, um das Essen zu servieren.

Während sie es auf den Tisch stellte, sagte sie: »Na? Sieht das nicht göttlich aus? Ich hoffe, es schmeckt Ihnen, Alistair. Es gehört zu meinen besten Gerichten.«

»Ich habe alles allein gekocht!«, protestierte ich.

Mutter legte die Hand aufs Herz und klimperte theatralisch mit den Wimpern. »Wie ungleich schärfer als ein Schlangenzahn ist doch ein undankbares Kind!«, zitierte sie.

Beim Essen setzte meine Mutter ihre schamlose Angeberei fort. Sie unterhielt sich lebhaft mit Mr Preston und ich beobachtete sie voll Anerkennung.

Nach dem Essen setzten sie sich aufs Sofa, während ich Grace zum Schlafen fertig machte. Ich hörte ihr Lachen bis in Graces Schlafzimmer.

Eine Weile setzte ich mich neben sie aufs Bett.

»Gute Nacht, Gracey«, sagte ich.

Sie sah einen Augenblick durch mein Gesicht hindurch, und ich beugte mich vor, um ihr Haar glatt zu streichen.

»Du hast heute gewusst, wer ich bin«, sagte ich zu ihr. »Das ist doch schon etwas!«

Ich küsste sie auf die Stirn und knipste die Nachttischlampe aus.

Ich ging in die Küche, um Kaffee für meine Mutter und Mr Preston zu machen.

Meine Mutter saß auf dem Sofa, die Arme um ihr hochgezogenes Knie geschlungen. Sie unterhielten sich ruhig.

»Doch, meine Kinder machen mir viel Freude«, sagte sie leise. »Der Augenblick, als ich zum ersten Mal

Rachels Gesicht sah, dieser eine Augenblick hat mein Leben für immer verändert. Kinder schaffen das. Ich habe sie angeschaut und dachte, hey, das ist ein klitzekleiner Teil von mir. Ich bin ganz verrückt nach ihr – nach beiden.«

Ich stellte den Kaffee vor ihnen auf den Tisch und machte es mir in der Sofaecke neben meiner Mutter bequem.

»Haben Sie je daran gedacht, Kinder zu haben?«, fragte meine Mutter Mr Preston.

Er schwieg einen Moment und runzelte die Stirn. »Meine Frau hat das Thema immer mal wieder angeschnitten und wir sprachen darüber. Ich sagte dann, dass ich öfter zu Hause sein wolle und in der Lage, mir Zeit für das Kind zu nehmen, und dass mir das unmöglich sei, solange mein Beruf mich derart in Anspruch nehme, und ob wir es vielleicht noch um ein Jahr verschieben könnten, bis im Büro alles so weit geregelt sei.«

Meine Mutter beugte sich vor und goss Kaffee ein.

»Das alles war durchaus richtig«, fuhr Mr Preston fort, »aber ich war auch egoistisch und wollte sie für mich allein haben. Ich wusste, dass ein Kind ihre Aufmerksamkeit von mir ablenken würde.«

Meine Mutter reichte ihm eine Tasse Kaffee. »Ja, die meisten Männer sind habgierig und absolut egoistisch, aber Sie bringen es immerhin fertig, das zuzugeben.«

Mr Preston lächelte und nahm den Kaffee entgegen.

»Und wie war es bei Grace mit Kindern?«, fragte meine Mutter.

»Woher wissen Sie denn das?« Mr Preston drehte sich zu mir um.

»Sie hat es nicht gewusst«, antwortete ich und zeigte auf meine Mutter. »Aber Graces Schwester hat es mir gesagt.«

»Sie ist ein Klatschweib«, sagte Mr Preston und nahm einen Schluck Kaffee. »Eines Tages rief mich Grace an und bat mich, zu ihr zu kommen. Sie war ... schwanger von Anthony. Das ist mein Bruder. Sie wollte mich fragen, was sie tun solle. Ich war eben ihr guter Freund, verstehen Sie? Sollte sie ihm etwas von dem Kind sagen? Wie würde er reagieren? Würde er sich um sie kümmern? Wir saßen hier in diesem Zimmer.«

Mr Preston schniefte. Er kramte ein Taschentuch heraus und putzte sich die Nase. »Du meine Güte.«

Mein Mutter schenkte ihm Kaffee nach.

»Ich wusste natürlich, dass Anthony nicht länger an Grace interessiert sein würde. Es hätte ihn nicht gekümmert, was Grace für einen Preis hätte zahlen müssen. Der Preis für mich ... nun, ja.«

Mr Preston nahm seine Tasse und trank geräuschvoll.

»Ich spürte, dass ich ihr die Wahrheit sagen musste«, sagte er. »Daran hätte ich schon vor einer ganzen Zeit denken müssen, aber ich hatte es nicht getan, weil ich gereizt war.«

Meine Mutter beugte sich zu mir herüber und legte ihre Hand auf mein Knie.

»Das muss furchtbar schwer gewesen sein«, sagte sie.

Mr Preston schnäuzte sich. »Ja«, sagte er. »Es war sehr schwer. Aber was kann man machen? Jetzt ist alles vorbei.«

»Wie ging es dann weiter?«, fragte ich.

»Oh, sie wurde wütend auf mich, sie sagte, ich sei eifersüchtig. Sie sagte, ich sei zu schwach. Sie sagte, ich wolle ihr nur wehtun. Wir schrien uns eine Weile an.«

Mr Preston schloss die Augen und fuhr sich mit Daumen und Zeigefinger über die Augenbrauen.

»Das war das Letzte, was wir vor dem Unfall zueinander sagten. Ich war wütend, sie war wütend. Wir sagten beide Gemeinheiten. Ich habe ein schrecklich reizbares Temperament.«

Meine Mutter nickte. »Klassischer Choleriker.«

Er sah mich an und sagte: »Kann ich einen Scotch haben oder so? Es ist alles ein bisschen viel.«

Ich stand auf, ging in die Küche und machte uns allen einen Drink. Die Flasche nahm ich mit hinüber.

»Jedenfalls wusste ich, dass Anthony an diesem Abend mit einem anderen Mädchen ausgegangen war, verstehen Sie? Ich wusste auch, dass er seine Mädchen immer in dasselbe Lokal ausführte. Ich schob Grace hinaus zu meinem Wagen. Sie schrie mich immer noch an. Wir stiegen ein. Eine Zeit lang versuchte sie, mit mir zu streiten. Sie beschimpfte mich, aber als sie sah, wohin wir fuhren, als wir in die Nähe des Hafens kamen, wurde sie sehr schweigsam.«

Mr Preston kippte seinen Whisky hinunter und hielt mir das leere Glas zum Nachfüllen hin.

»Am Hafen gab es früher ein kleines Restaurant. Es

existiert nicht mehr, seit die ganze Gegend saniert worden ist. Mein Vater hat uns gelegentlich mit dorthin genommen, Anthony und mich. Er war eng befreundet mit den Eigentümern, einer chinesischen Familie. Das Lokal war sehr einfach. Es lag mehr oder weniger an der Rückseite eines Hauses, eingepfercht zwischen Lagerhallen. Die Inhaber hatten keine Genehmigung, und letztendlich wurde das Lokal vom Stadtrat geschlossen. Mein Vater und ich hatten ein paar Freunde im Stadtrat. Wir hielten sie so lange wie möglich zurück, wir redeten ihnen gut zu, ein Auge zuzudrücken.«

Er sah mich an. »Ich habe immer die Räder geschmiert, wenn sich die Gelegenheit ergab, verstehen Sie?«

Er goss sich noch einen Whisky ein. »Sie sprachen nicht Englisch, man aß also mehr oder weniger, was sie einem brachten. Es gab an die dreizehn kleine Gänge, alles original chinesisch. Es gab nur etwa fünf Tische. Keine aufwändigen Tischdecken, kein aufwändiges Besteck. Es gab einfach gutes Essen, guten Wein und einen großartigen Blick über das Wasser.«

Mr Preston schwenkte seinen Whiskyrest im Glas.

»Es war immer ein ganz besonderer Ort für meinen Vater und Anthony und mich – nur er und wir Jungen. Aber nachdem mein Vater tot war, fing Anthony an, seine Mädchen dorthin einzuladen. Das hat mich angekotzt. Entschuldigen Sie.«

Mr Preston zog sein Taschentuch heraus und schnäuzte sich wieder.

»Ich parkte ein Stück vor dem Restaurant und wir gingen zu Fuß hin. Die Straße ist dort sehr eng und viele Lastwagen sind vom und zum Hafen unterwegs. Die Schiffe werden rund um die Uhr gelöscht. Grace ging sehr langsam. Ihr Gesicht war kalkweiß und spitz. Sie wusste, was sie gleich sehen würde. Ich wusste, dass sie es nicht sehen wollte.«

Mr Preston holte tief Luft.

»Wir erreichten das Lokal auf einer engen, dunklen Straße. Grace ging langsam wie eine Schlafwandlerin. Wir kamen an einem Lagerhaus vorbei und bogen um die Ecke. Da war Anthony. Er saß am letzten Tisch, von dem man die beste Aussicht aufs Wasser hatte – zusammen mit einem sehr hübschen, sehr jungen Mädchen. Er hat sie am liebsten jung.

Ich sah Grace an. Tränen rollten ihr über die Wangen. Strömten über ihr Gesicht. Liefen ihr den Hals hinunter. Ihre Wimperntusche zerfloss. Ich weiß noch, wie ich dachte, dass ich sie noch nie mit verschmiertem Make-up gesehen hatte.

Anthony blickte auf und sah uns. Er sah, wie Grace draußen auf dem Bürgersteig vor seinem Lieblingslokal stand. Die schöne, elegante Grace, der Tränen über das Gesicht liefen.«

Mr Preston weinte. Er wischte sich mit dem Handrücken über das Gesicht.

»Es tut mir Leid«, sagte er. »Ich kriege es nicht aus meinem Kopf, verstehen Sie. Normalerweise heule ich nicht.«

»Schon gut«, sagte meine Mutter und beugte sich

über den Tisch zu ihm. »Weinen erleichtert ja. Bitte erzählen Sie weiter.«

Mr Preston holte wieder tief Luft und schenkte sich noch einmal ein.

»Dann wandte sich Anthony wieder dem Mädchen zu, das bei ihm war, und legte auf dem Tisch seine Hand über ihre«, sagte Mr Preston und legte eine Hand über die andere.

»Grace stieß einen leisen, wimmernden Ton aus. Es war ein tierischer Laut. Es war ein ... ein Schmerzenslaut. Sie krümmte sich und presste die Hände auf den Magen, als wäre sie geschlagen worden.«

Wieder putzte sich Mr Preston die Nase. Tränen rannen ihm über die Wangen. Er sprach mit geschlossenen Augen.

»Das ist der Augenblick, an den ich für den Rest meines Lebens denken werde. Jeden Tag läuft diese Szene in meinem Hirn ab, wieder und wieder. Jeden Morgen, jeden Tag wache ich mit diesem Bild auf: Grace stolpert rückwärts. Grace macht einen Schritt zur Straßenmitte. Ich höre die Hupe dröhnen. Ich sehe die Scheinwerfer auf Grace gerichtet wie ... wie eine unbarmherzige Bühnenbeleuchtung. Ich sehe, wie sie ihren Kopf dreht und den Lastwagen auf sich zukommen sieht. Ihr Gesicht leuchtet auf in der Dunkelheit. Dann höre ich die Bremsen kreischen und den gellenden Schrei aus meinem Mund.

Der Lastwagen kann nicht sehr schnell gefahren sein. Es ist eine enge Straße mit vielen Kurven. Da kommen ständig große Laster durch, holen die Waren von den Schiffen. Alle fahren schneller, als sie dürfen. Und ein voll beladener Laster braucht verdammt lange, bis er zum Stehen kommt.«

Mr Preston hat noch immer die Augen geschlossen. Die Tränen laufen ihm über die Wangen und tropfen auf sein Hemd.

»Grace will ausweichen, verdreht sich aber den Fuß und fällt hin wie in Zeitlupe. Sie reißt die Arme hoch. Für einen Moment ist ihr Gesicht im Schatten, außerhalb der Reichweite der Scheinwerfer. Sie fällt, sie fällt, noch bevor der Laster sie erreicht hat.«

Er öffnet die Augen und nimmt einen Schluck von seinem Whisky.

»Ich spüre einen Schmerz. Ich spüre einen stechenden Schmerz und merke, dass ich auf dem Bürgersteig in die Knie gegangen bin. Ich spüre, wie der Atem aus meinen Lungen strömt. Für einen Augenblick liege ich auf den Knien, keine Luft in den Lungen. Ich sehe, wie der Laster abbremst. Ich denke, sie schafft es!

Der Lastwagen ist schon fast zum Stillstand gekommen, als er sie erreicht. Ich weiß es nicht, vielleicht, wenn sie nicht vorher das Gleichgewicht verloren hätte ...

Der Lastwagen erfasst sie und sie stürzt vollends auf die Straße. Sie sinkt einfach in sich zusammen. Ihr Kopf schlägt oberhalb der Schläfe auf die Straße.«

Mr Preston tippt mit dem Mittelfinger an die Schläfe über seiner linken Augenbraue.

»Ich krieche zu ihr hin. Ich mache mir nicht einmal die Mühe, aufzustehen. Ich krieche auf Händen und

Knien. Ich höre einen Laut aus meiner Kehle kommen, ich kann nicht atmen. Ich hebe ihren Kopf an und halte sie fest. Ihre Augen sind geschlossen. Auf ihrer Wange ist eine Schürfwunde. Meiner Meinung nach sieht sie gar nicht sehr verletzt aus. Gott sei Dank, denke ich. Dann verlagere ich mein Gewicht und jetzt kann ich sie im Scheinwerferlicht des Lasters genauer sehen. Ihre Augen sind leer – sie sind ohne jeden Ausdruck. Aus ihren Ohren kommt Blut – viel Blut.«

Mr Preston sieht auf. Er wischt sich mit dem Taschentuch über das Gesicht.

Meine Mutter sitzt neben mir auf dem Sofa, Tränen laufen ihr über die Wangen.

35

Heute Morgen ist meine Mutter nach Hause gefahren. Sie fehlt mir schon. Jetzt bin ich wieder mit Grace allein. Ich glaube, die lärmende Unruhe hat ihr gefallen.

Grace und ich saßen auf der vorderen Veranda in der Sonne.

Gegen zehn kam Hiro. Er brachte uns Croissants mit und wir machten ein kleines Picknick auf der Eingangstreppe. Ich schaffte es, während des ganzen Essens nichts zu verschütten und nicht hinzufallen – ich bin ganz stolz auf mich. Hiro lud mich zu einem Filmfestival ein, das nächste Woche in der Uni stattfinden sollte.

»Es gibt auch Zeichentrickfilme«, sagte er. »Magst du Trickfilme?«

»Ja«, sagte ich und lächelte.

Nach dem Frühstück erschienen Kate, Suzette und der Junge mit den Rastalocken. Wir saßen auf der vorderen Veranda, redeten und tranken Kaffee. Der Rastalockenjunge hatte Reggae-CDs dabei und wir hörten eine Weile zu. Hiro und der Rastalockenjunge setzten sich ins Gras und unterhielten sich über Musik.

»Ich glaube, Musik ist einflussreicher und mächtiger als Religion«, sagte der Rastalockenjunge.

»Ach, du redest einen Haufen Scheiße«, fiel ihm Suzette ins Wort.

»Nein, du verstehst nur nicht«, sagte der Rastalockenjunge zu ihr. »Musik gibt es in jeder Kultur. Sie zeigt den Verlauf unserer Evolution. Musik repräsentiert die Weltanschauung der Menschen und der Zeiten.«

»Okay, du Flasche. Was ist mit *She-Bangs*? Diesem Song von Ricky Martin?«, fragte Suzette.

»Das ist ein perfektes Beispiel einer absolut hedonistischen Gesellschaft, die besessen ist von weiblichen Formen und die ständig die Sexualität benutzt, um überflüssige Produkte an zunehmend übersättigte und vom Fernsehen betäubte Konsumenten zu verkaufen.«

Ich ging ins Haus, um frisches Wasser aufzusetzen, und als ich wieder herauskam, standen Herb und Bill am Zaun und unterhielten sich mit Kate.

»Morgen, Miss Rachel«, sagte Herb und winkte mir zu.

»Morgen, Herb«, rief ich zurück.

Ich blieb in der Tür stehen, schaute mich um und sah all die Menschen, die sich hier in unserem Vorgarten locker miteinander unterhielten. Ich begriff, dass ich Freunde gefunden hatte. All diese Leute waren hergekommen, um mit mir zusammen zu sein. Sie fühlten sich wohl bei mir. Sie mochten mich sogar.

Suzette saß auf der Armlehne von Graces Stuhl. Während sie sprach, beugte sie sich vor und strich Grace geistesabwesend eine Haarsträhne aus den Augen. Die Geste war irgendwie gedankenlos und liebevoll zugleich.

Ich musste lächeln.

»Weißt du inzwischen, was du machen willst?«, fragte mich Kate, als ich mich setzte.

»Ich glaube, ich möchte mit Menschen arbeiten«, sagte ich. »Menschen mit erworbenen Hirnverletzungen wie Grace.«

Kate nickte. »Du wirst dich gut dafür eignen«, sagte sie.

Am frühen Nachmittag brachen sie auf, jeweils zu zweit. Kate und Suzette gingen in die Bibliothek. Hiro und der Rastalockenjunge beschlossen, Skateboard zu fahren. Herb und Bill setzten ihren Spaziergang auf der Straße fort.

Als Hiro ging, küsste er mich auf die Wange und dann wurde er rot. Vielleicht läuft es jetzt doch ganz gut.

Auf dem Anrufbeantworter blinkte das Lämpchen. Ich drückte auf »Abhören«.

»Hallo Rachel, hier ist Anna. Mum hat mir deine Nummer gegeben. Ich war echt überrascht, von dir zu hören. Du weißt ja, man verliert irgendwie den Kontakt. Ich wohne jetzt in Sydney. Aber es wäre toll, wenn wir uns wieder treffen würden. Ruf mich an.«
Ich schrieb ihren Namen und die Nummer in das Adressbuch neben dem Telefon. Dann blätterte ich die Seiten durch und suchte die Nummer von Yvonne. Ich wählte und lauschte auf das Freizeichen.

»Hallo?«

»Hallo, Yvonne?«, fragte ich.

»Ja?«, antwortete die Stimme.

»Hier ist Rachel. Ich bin die Pflegerin von Grace.«

»Ah, ja«, sagte sie.

»Ich wollte Ihnen nur sagen, dass Grace an Sie gedacht hat. Sie hat vor dem Unfall einen Brief geschrieben. Ich weiß nicht, ob Sie ihn je bekommen haben.«

»Nein, ich habe lange nichts von Grace gehört.«

»Also, wenn Sie wollen, können Sie kommen und sie besuchen«, sagte ich. »Ich glaube, sie würde sich freuen. Der Brief … er war richtig nett. In dem Brief steht, dass Grace Sie sehr gern hatte. Ich finde es wichtig, dass Sie das wissen.«

»Danke«, sagte Yvonne. »Ich besuche sie gern. Als wir uns das letzte Mal unterhielten, sind wir nicht im … im Guten auseinander gegangen.«

»Also, Sie können jederzeit kommen. Wenn Sie mal in der Gegend sind oder wann Sie wollen.«

»Danke, Rachel.«

Als ich auflegte, fühlte ich mich viel besser. Die Spukschachtel war so voll mit Gespenstern und schlimmen Gedanken, mit Enttäuschung und Traurigkeit. Sie war so voll mit unausgesprochenen Dingen. Ich würde wohl nicht alle von Graces Wunden heilen können, aber in der Sache mit Yvonne hatte ich wenigstens eine geheilt.

Es war wieder still. Still und leer. Doch wenn es nicht so still gewesen wäre, wäre mir etwas entgangen – etwas ganz Außergewöhnliches.

Ich bin achtzehn und ich weiß eine ganze Menge, aber ich weiß nicht alles (zum Beispiel verstehe ich nicht das Sprichwort: Ein Stich zur rechten Zeit erspart neun – was heißt das? Mein Leben lang habe ich nicht begriffen, was das bedeutet. Welche Nadel muss ich nehmen? Wann ist die »rechte Zeit«? Ich weiß es nicht.). Aber ich lerne dazu.

Grace saß in ihrem Stuhl am Fenster. Ich rückte den Stuhl so, dass sie in den Garten hinaussehen konnte. Ich dachte, sie könnte die Vögel beobachten, die im Maulbeerbaum eingezogen waren. Sie haben jetzt Junge und die Alten fliegen pausenlos hin und her und bringen ihnen kleine Maden. Grace saß in ihrem Stuhl und schaute aus dem Fenster.

Ich hatte keine Musik aufgelegt. Sonst lasse ich am Nachmittag Musik laufen, Jazz oder Blues, aber heute nicht. Ich konnte die Vögel im Maulbeerbaum zwitschern und zetern hören. Ich hörte ab und zu ein Auto, das auf der Straße vorbeifuhr, und Züge in der Ferne. Ich hörte alle Geräusche, die man an einem sonnigen Nachmittag in der Vorstadt hören kann. Plötzlich hörte ich noch einen Laut, ganz schwach. Ich blieb reglos stehen und lauschte. Ich hatte die Augen geschlossen und die Hand hinter meinem Ohr trichterförmig gewölbt.

Ich hörte Grace.

Leise ging ich auf Zehenspitzen über den Holzfußboden zu ihr hinüber. Ich kauerte mich hinter ihren Stuhl auf den Boden. Nichts. Kein Laut, nur die Vögel und die Autos. Ich schloss die Augen und lauschte.

Da war es wieder!

Sie saß vollkommen still. Ich kniete hinter ihr. Ich hörte etwas.

Grace sang.

Ganz schwach, ganz leise. Keine Worte, nur eine Melodie, wie gehaucht. »La, la, da, da.«

Da hockte ich auf dem Boden hinter Graces Stuhl und lauschte. Lauschte, wie Grace sang. Hockte auf dem harten Holzfußboden, die Augen fest geschlossen, und hörte zu, wie Grace sang.

Noch nie hatte ich einen Ton von Grace gehört, den sie freiwillig von sich gegeben hätte. Noch nie hatte ich ihre Stimme gehört.

Ich saß auf dem Boden hinter ihrem Stuhl, eine Träne auf der Wange, und hörte zu, wie Grace sang.

Als ich die Augen aufmachte, sah ich, wie ihre Finger ganz behutsam auf die Armlehne klopften, sie klopften im Takt. »La, la, da, da«. Tip, tip, tip.

Ich weiß nicht, wie lange ich da saß, aber ich hörte sie. Ich hörte Grace.

Wenn es nichts gibt, Musik gibt es immer. Jetzt weiß ich, was das bedeutet.

In Grace ist Leben. Ich bin sicher.

Friedrich Ani
Wie Licht schmeckt
Roman

ISBN 3-423-**62224-5**

Lukas streift allein durch die Stadt. Als er eine Rolltreppe in
falscher Richtung hinunterspringt, stößt er mit einem Mädchen zusammen. Sonja ist siebzehn und blind. Von da an
ist für Lukas nichts mehr so, wie es war. Plötzlich spürt er
alles viel intensiver: das Licht in den Straßen, die Stimmen
der Menschen, eine zarte Berührung. Er weiß, dass er
Sonja nicht mehr verlieren will. Nur wie er das schaffen
kann, weiß er noch nicht.